エリア・スタディーズ206［別冊］

パレスチナ／イスラエルの〈いま〉を知るための24章

編著 鈴木啓之／児玉恵美

明石書店

序章

過去最悪の人道危機がガザ地区で起きた。

2023年10月7日から、世界の耳目はガザ地区に向けられた。ガザ地区からパレスチナ人の武装戦闘員3000人近くがイスラエルに越境し、攻撃を行ったことが発端である。ガザ地区周辺のキブツなどに流入した戦闘員は、最終的にイスラエル軍やイスラエル警察によって多くが殺害されたが、この攻撃によってイスラエル市民およそ800人を含む1200人が殺害された。特にベエリやクファル・アザなど、ガザ地区に近いキブツは壊滅的な被害を受け、ヴィヴィアン・シルバー氏のように長年にわたって平和運動に参加してきた人物も命を落とした。また、人質として240人近くがガザ地区に連れ去られた（図1）。

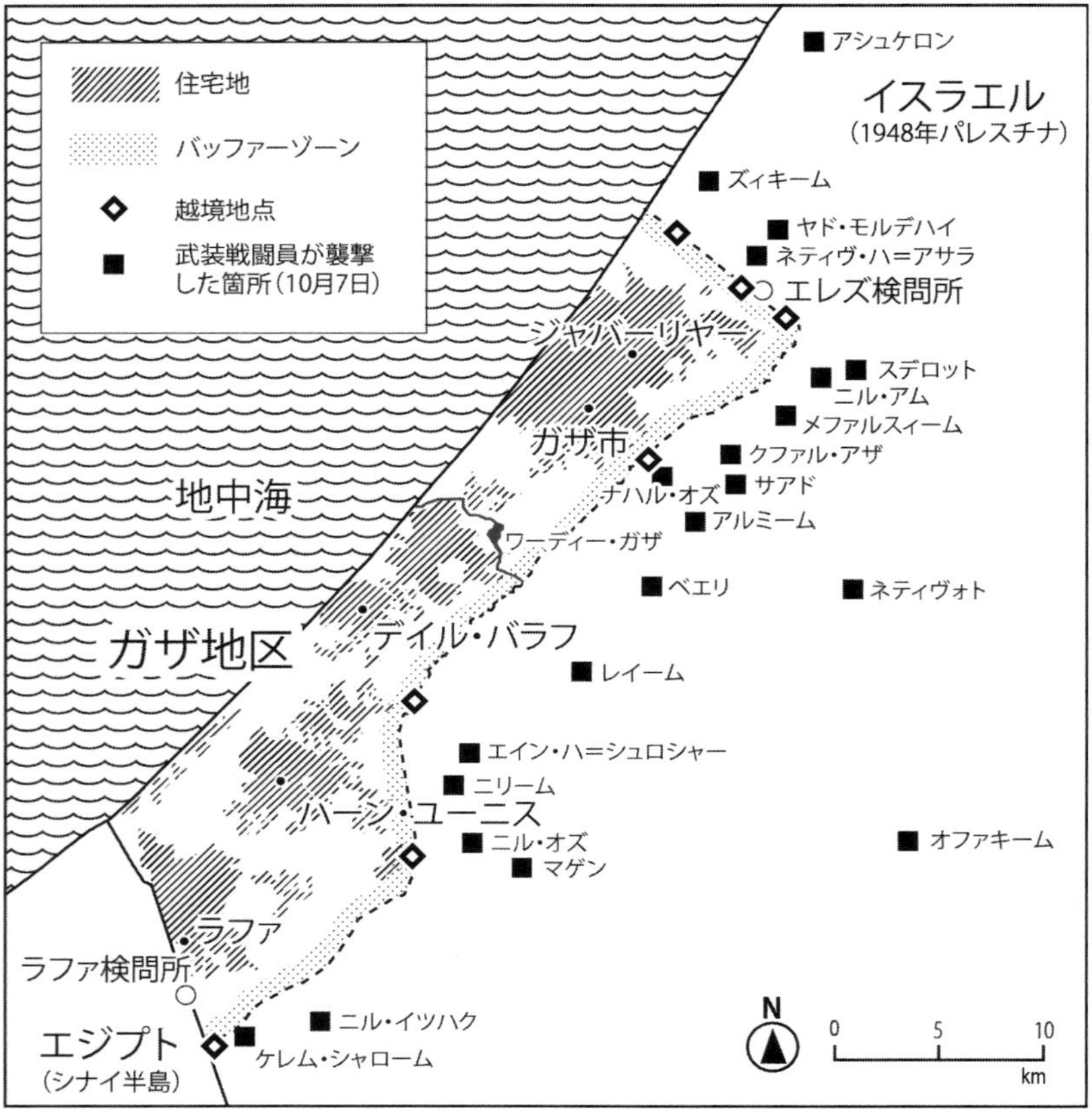

図 1：ガザ地区と周辺

出所：UN OCHA, BBC, *The Wall Street Journal* などを参考に筆者作成

イスラエルによるガザ地区への攻撃は初日から苛烈を極めた。空爆が続くなかで、ガザ住民の犠牲は過去に例を見ない規模になった。戦闘開始から20日ほどで、ガザ住民の死者は7000人を超えた。この攻撃がいかに苛烈なものであるのかは、過去の事例に照らしても明らかである。例えばイスラエルの人権団体ベツェレムは、2000年から2010年までの死者数について、イスラエルで1083人、パレスチナで6371人だったと記録している。激しい衝突となった2000年9月からのアル＝アクサー・インティファーダと2008年12月から翌09年1月にかけて起きたガザ攻撃が含まれる時期である。わずか20日ばかりで、オスロ合意以降で最悪とも言える衝突を含む10年間の死者数を凌駕する状態になったことは、ことさら衝撃的だ。

殺害されたジャーナリストや国連職員も、過去に例を見ない人数になっている。国際ジャーナリスト保護委員会は、ガザ地区での戦闘で死亡したジャーナリストの人数が、一つの戦争による犠牲者としては1992年の統計開始以来で過去最悪であると発表した。2024年3月23日段階で、ガザ地区で殺害されたジャーナリストは95人にのぼる。また、11月14日にはアントニオ・グテーレス事務総長のもと国連本部で一分間の黙禱が捧げられた。ガザ地区で殺害された100人を超える国連職員を追悼するための行動であり、これも国連史上最悪と言われる事態である。

ガザ地区の住民は、ほぼ全員が戦闘で家を追われ、封鎖された地域内で逃げ惑うことになった。地区の学校や国連パレスチナ難民救済事業機関（ＵＮＲＷＡ）の施設に設置されたシェルターは収容可能人数を超え、２２０万人と見積もられている全人口のうちで１９０万人近くが避難生活を余儀なくされた。上下水道の機能がほとんど奪われていること、さらにトイレやシャワーといった施設が足りていないことから、公衆衛生上の問題も生じた（第21章参照）。世界保健機構（ＷＨＯ）が２０２４年3月12日に発表したレポートに依拠すれば、ガザ地区では子どもたちのあいだで10万件に近い下痢の症状が報告され、他にも50万件を超える呼吸器疾患のほか、髄膜炎、皮膚の発疹、疥癬、水疱の症例が数万件の規模で確認されている。文化財も大きな被害を受け、中世の大旅行家イブン・バットゥータが訪れた大モスクも攻撃によってほぼ全壊した（第1章参照）。11月16日には、国連の専門家パネルが、ガザ地区でジェノサイド（集団虐殺）が進行していると警告を発し、ヨルダン川西岸地区を含めたイスラエル占領下のパレスチナ人の生命が危機にさらされていることが訴えられた。

ガザ地区で繰り返されてきた戦闘

２０２３年10月から続く戦闘は、過去に繰り返されてきたガザ地区に対するあらゆる攻撃と比較しても、大規模かつ徹底したものになった（表1）。

２００８年12月から２００９年1月にかけて、ガザ地区では「ガザ戦争」と呼ばれる戦闘が行われた。イスラエル側の軍事作戦の呼称は、「鋳られた鉛」である。12月14日に、ハマース

表1：ガザ地区での戦闘

	2008年（09年）	2012年	2014年	2021年	2023年5月	2023年10月〜
パレスチナ人の死者	1391人	167人	2185人	233人	34人	3万2623人
家屋の破壊	6,400	-	1万2000	-	-	15〜18万
イスラエル人の死者（うち兵士）	8(5)人	6(2)人	68(63)人	7(1)人	2人	1450(550)人
戦闘期間	23日	8日	50日	12日	5日	-

出所：筆者作成（2024年3月29日時点）

の政治局長（当時）であったハーリド・ミシュアルによって、イスラエルとの停戦破棄が宣言された。その10日後の12月24日に、イスラエルに向けておよそ80発のロケット弾が発射されたことで、戦闘が開始された。12月27日には空爆が開始され、予備役の招集も数千人規模で実施された。1月3日には、イスラエル軍の地上部隊がガザ地区内に展開し、国連事務総長（当時）の潘基文は、カイロでエジプト大統領（当時）のホスニー・ムバーラクと会談するなど、即時停戦に向けた働きかけを強めていった。また、バラク・オバマ政権の成立を間近に控えていたアメリカは、1月8日に国連安保理で即時停戦を求める決議（第1860号）に拒否権の行使ではなく「棄権」で応じた。戦闘は1月18日にイスラエルによる一方的な停戦宣言によって終了し、20日にガザ地区を訪問した国連の潘基文事務総長は、「心から血が滲むようだ」と発言した。

この戦闘では、イスラエルによる白リン弾の使用が国際的に問題となった。イスラエルが使用した白リン弾は、空中で傘状に広がり、広範囲にわたって発火性のリンを放出するものだ。これがガザ地区の都市部で使用されたことで、住民に対する無差別攻撃であると国際的な非難を集めた。皮膚に付着したリンは容易には除去できず、誤って水をかければ、大変な発火を引き起こした。ことに国連の学校敷地内に白リン弾が着弾する様子は、世界に衝撃を与えた。

２０１２年11月の攻撃は、２０２３年5月に行われた攻撃と類似している。つまり、パレスチナ人武装勢力の幹部のなかで、ロケット弾開発や運用の責任者を狙って攻撃が実施された。２０１２年の標的はハマース軍事部門「イッズッディーン・カッサーム旅団」のアフマド・ジャアバリー副司令官だった。たび重なる暗殺未遂によって負傷し、指揮が難しいとされているムハンマド・ダイフ最高司令官にかわって、カッサーム旅団を実際に率いていると見られていた人物である。また、２０２３年5月には、ハマースと並んでガザ地区に勢力を維持するイスラーム聖戦の幹部が標的にされた。日本ではほとんど報道されることはなかったが、西岸地区軍事司令官のターリク・イッズッディーン、ガザ北部地域司令官ハリール・バフティーニー、軍事評議会議長ジハード・アブドゥルハーフィズ・ガンナームの3人が殺害された。いわゆる「草刈り」と言われるような軍事行動の典型例であり、軍事組織の幹部を殺害することで組織に打撃を与え、政治的な警告とすることが目的であったと考えられる。

２０１４年には、２０２３年の攻撃が行われるまで過去最大規模であった攻撃がガザ地区に対して行われた。イスラエル軍の作戦名は、「強固な絶壁」であった。6月12日にヘブロン近くでイスラエル人青年3人が行方不明になり、30日に遺体が発見されたことが発端である。当時もイスラエルの首相であったベンヤミン・ネタニヤフは、この犯行がハマースによるものであるとして、世論の怒りを煽った。このなかで、東エルサレムではパレスチナ人の少年がイスラエル人のグループによって拉致され、焼死体となって発見されるという痛ましい事件も起きた。7月8日にイスラエル軍が本格的にガザ地区への空爆を開始すると、M－75やR－160など、テルアビブを射程に収めるロケット弾がガザ地区から発射された。特にハイファーにも到達できるR－160の運用によって、ガザ地区から発射される飛翔物はイスラエルの全土を射程に収めることがはじめて明確に示された。

この戦闘の際には、短期間の一時休戦が繰り返された。7月17日に5時間、7月26日に12時間、8月1日に72時間（2時間で破棄）、8月5日に72時間の停戦が発表され、この最後の休戦が延長されていくことで、最終的に8月26日の停戦に至った。この戦闘の最中には7月29日にガザ地区唯一の火力発電所が攻撃を受け、操業を一時停止した。

新たな傾向を示していた2021年の戦闘

2021年の戦闘は、過去の戦闘と若干異なるものになった。つまり、エルサレムでの衝突がガザ地区からの攻撃を誘発した点、さらにSNSでの応酬が繰り返され、対立を煽った点である。この2つの特徴は、2023年10月からの戦闘でも確認されているものだろう。

２０２１年５月に、エルサレムではラマダーン（断食月）のさなかに情勢不安が生じていた。東エルサレムのシェイフ・ジャッラーフ地区で、パレスチナ人家族が住居からの立ち退きを迫られ、住民だけではなくイスラエルの愛国主義者グループや外国人の平和運動家なども巻き込んだ対立が生じていた（第９章参照）。そのような中で、エルサレム市内を走るトラムでパレスチナ人青年がユダヤ人の超正統派男性を平手打ちにする動画がＴｉｋＴｏｋで拡散され、「炎上」状態になった。おりしもラマダーンのためエルサレム旧市街には多くのパレスチナ人が訪問する季節であり、イスラエル警察は旧市街入口のダマスカス門の閉鎖を決定した。しかし、結果的にこれが衝突の中心地をシェイフ・ジャッラーフ地区から旧市街に移す契機になった。エルサレム旧市街の聖域ハラム・アッ＝シャリーフでのパレスチナ人とイスラエル警察の衝突が発生し、ラマダーン最後の金曜日は２００人近い負傷者を出して終わった。この緊張がことさらに高まった状態で、５月９日の「エルサレム・デー」と呼ばれるイスラエルの祝日が訪れる。この日は、イスラエルの愛国主義者グループが旧市街を練り歩くことが慣例化し、大規模な衝突が起きることが危惧されていた。実際のところ、警察による十分な予防措置がないままに、ハラム・アッ＝シャリーフで再び大きな衝突が起き、パレスチナ人が３００人近く負傷するに至った。ガザ地区からのロケット弾攻撃が開始されたのは、この段階に至ってからであった。エルサレムと聖域の防衛が目的に据えられ、ハマースなどの武装グループがイスラエルに無謀とも言える対決を挑んだ。

衝突のなかでは、イスラエルとパレスチナ双方の社会から、SNSを舞台にした「情報戦」が繰り返された。特にイスラエルの首相官邸報道官のオフィル・ゲンデルマンは、フェイスブックに投稿されていた動画をツイッター（当時）に転送する形で、ハマースが住宅地からロケット弾を発射し、国際法に違反した戦法を採用していることを非難した。しかし、この画像は、『ニューヨーク・タイムズ』紙やロイター通信の検証によって、2018年にシリアで撮影されたものを流用した誤情報であることが明らかになっている。また、パレスチナ側でも、ハラム・アッ＝シャリーフでの衝突現場とファインダー越しに涙を流すジャーナリストの姿を4枚の画像であらわしたものが流通した。しかし、涙を流すジャーナリストは、2019年のサッカー・アジアカップで、イラクがカタルに敗北した時にスタジアムで撮影されたものだと指摘されている。

聖地の冒瀆がガザ地区を拠点とする武装勢力を刺激し、攻撃を招いた可能性は、今回の戦闘にも指摘できる。イスラエルへの越境攻撃があった10月7日当日に発表されたハマース軍事部門イッズッディーン・カッサーム旅団最高司令官のムハンマド・ダイフによるビデオ声明と、10月12日に発表された旅団報道官アブー・ウバイダの声明は、いずれもガザ地区封鎖に象徴される占領のほかに、エルサレムや聖地の防衛に言及していた。特に後者の声明に依拠すれば、10月7日の攻撃は2022年初頭から計画されたものだということが示されているため、2021年の動きとの連続性を示すことは、決して強引な立論ではない。特に、2023年がイスラエルの極右政党「ユダヤの力」の代表で国家安全保障相のイタマル・ベン＝グヴィールによるハラム・アッ＝シャリーフ訪問の強行によって幕開けしたことも、改めて想起する必要がある。この時にはアントニー・ブリンケン米国務長官が中東を訪問して、「火消し」に尽力した。しかし、ベン＝グヴィールによる聖域訪問は、その後も5月と7月に繰り返されている。

また、2021年の衝突で見られたSNSを舞台にした「情報戦」は、2023年10月からの攻撃ではさらに激しさを増した。戦闘ゲームの映像、映画のシーン、過去の画像の使い回し、さらには生成AIによる画像に至るまで、さまざまな情報が相手を貶めたり、敵対感情を煽るために利用されている。特に深刻であるのは、「フェイク」との断定が、逆に相手側の被害を少なく見せたり、不誠実さを訴える際に多用されていることである。先ほどのゲンデルマン報道官は、2023年11月9日に映画のメイキング映像を使って、パレスチナ人が少女の負傷を偽装しているという趣旨の書き込みをX（旧ツイッター）、TikTok、インスタグラムに投稿した。また、病院に運び込まれるパレスチナ人の幼児の遺体が人形であるとの指摘など、こうした「フェイク」との断定による誤った情報の拡散は枚挙に暇がない。日本でも、ハマースが劇団員を使って負傷者を演じさせているという誤った情報が無責任な形で拡散され、物議を醸した。

ガザ地区への徹底的な攻撃と広がる情勢不安

イスラエルは2023年10月9日からガザ地区に対する食料、飲料水、燃料、電力などの供給を遮断し、完全封鎖下に置いた。10月11日には、ネタニヤフ首相のもとに野党「国民陣営」のベニー・ガンツが合流して戦時内閣が形成され、翌日にはワーディー・ガザ（第1章参照）より北部の住民に、南部への退避が通告された。10月20日には、この戦闘が始まって以来初めて人質の解放があり、米国籍を持つ母娘が解放された。10月23日にも2人の高齢女性が解放されたが、10月28日にイスラエル軍はガザ地区の通信（電話、インターネット）を一時遮断したうえで地上部隊を展開するに至った。11月2日にガザ市の包囲が完了したとイスラエル軍は発表し、11月15日にはガザ地区の基幹病院の1つであるシファー病院に部隊が展開した。11月24日から11月30日にかけては、人質10人の解放と引き換えに一日の休戦とイスラエルが捕らえているパレスチナ人収監者の釈放が実施されたが、12月1日を境に戦闘が再開し、イスラエル軍の部隊はガザ地区南部に展開するに至った。ガザ南部へと戦闘地域が拡大したことで、最南部の町ラファには100万人を超える避難民が集まった。2024年2月頃から、このラファに対する本格的な侵攻がイスラエル軍によって準備されているとの報道が相次いだ。ラマダーンの開始（3月10日）までに再度の休戦を実現するための外交努力がパリやカイロなどで重ねられたが、戦闘は依然として継続している。

この戦闘による被害状況は、いまだに十分に明らかになってはいない。国連人道問題調整事務所（ＯＣＨＡ）の発表に依拠すれば、２０２４年3月29日時点で、ガザ地区では3万２６２３人の死者が確認され、負傷者は7万５０００人を超える。また全壊した家屋は18万棟とも言われ、国連施設や学校、病院の機能は壊滅的に破壊された。ガザ・イスラーム大学を典型として、教育機関にも空爆が行われた。

イスラエルが関心を寄せる人質の救出は、政治的な交渉を除いてほとんど実現されなかった。10月20日と23日の解放は、エジプトやカタルが仲介したと言われている。また、11月24日から30日にかけては、１００人を超える人質が停戦と引き換えに解放された。一方で戦闘のなかで生存して救出された人質は3人のみ（２０２３年10月30日、２０２４年2月12日）であり、その後は遺体が確認されるか、またはイスラエル軍による誤射で殺害されるかという状態が続いている。イスラエル政府によって死亡が確認されている人質は、２０２４年3月24日時点でおよそ30人であり、結果として生存が期待される未解放の人質は１００人を下回っている。

イスラエル政府は２０２４年1月末にＵＮＲＷＡの職員12人が10月7日の攻撃に関与した疑いがあると発表した。これを受けてアメリカは1月26日にＵＮＲＷＡへの拠出金を差し止めることを決定した。ＵＮＲＷＡの上位20位のドナー国・組織のうち、ドイツ、スウェーデン、日本、フランス、スイス、カナダ、オランダ、イギリス、イタリア、オーストラリア、オーストリア、フィンランドが追従して拠出金差し止めを発表し、ＵＮＲＷＡの活動は著しい制約を受けることになった。スウェーデンやカナダ、オーストラリアなど、拠出再開の動きが続いているものの、ＵＮＲＷＡ全体予算の約３割を支えてきたアメリカによる拠出金停止は、依然としてＵＮＲＷＡの活動を妨げる大きな要因になっている。南アフリカが国際司法裁判所（ＩＣＪ）に対して、イスラエルがガザ地区でジェノサイドを実施しているとの訴えを行ったのは２０２３年12月29日のことである（第15章・コラム８参照）。ＩＣＪはイスラエルがジェノサイド条約に違反しているか否かの判断を直ちに示すことはなかったが、１月26日にはジェノサイドそのものとジェノサイドの煽動を防ぐあらゆる措置を講じるようイスラエルに求める暫定措置命令を発出した。アメリカによるＵＮＲＷＡへの資金拠出停止は、奇しくもこのＩＣＪ判断と同じ日に行われたことで、アラブ世論だけではなく、南アフリカも含めた非欧米諸国による失望を招いた。ＩＣＪによる暫定措置命令は２０２４年３月28日にも発出され、ガザ地区で起きている人工的な飢餓状態への懸念を表明するとともに、人道支援がすみやかに地区全域に行き渡る措置を講じるようイスラエルに命じた。

　ガザ情勢は中東各地の情勢を揺るがしている。10月８日には、レバノンのヒズブッラーがイスラエル占領下ゴラン高原に向けて迫撃砲を発射し、その後もイスラエル軍との限定的な戦闘を継続している。しかし、迫撃砲やロケット弾による戦闘は、たとえ限定的であったとしても民間人を含む死傷者をもたらしている。２０２４年３月末の段階で、ヒズブッラーとイスラエルの交戦で命を落としたイスラエル人は少なくとも18人（うち市民８人）、レバノンでは３３８人が殺害されている。また、２０２３年10月19日には、イエメンを拠点とするアンサールッラー

（フーシ派）が、イスラエルに向けて4発の巡航ミサイルと15機のドローンを発射して、ガザ情勢に関与する姿勢を明確にした。フーシ派は11月に入ると紅海を航行するイスラエル関連船舶への攻撃を発表し、11月20日には日本郵船が運航する貨物船が実際に拿捕される事態が起きた。その他にも、船舶に対する巡航ミサイルの発射などによって、紅海ルートでの海運に大きな混乱が生じた。英米軍によるフーシ派拠点への攻撃は、２０２４年1月から繰り返し行われているが、3月2日にはフーシ派によって攻撃を受けた貨物船が沈没する事態にまで発展している。

足並みが揃わない各国政府と声をあげる市民

イスラエルによるガザ地区への攻撃が続くなか、各国の足並みは乱れ、戦闘を停止させる有効な働きかけを行うことができなかった。第一に、アメリカは事態の沈静化にまったく貢献しないばかりか、イスラエル支持の姿勢を強固に貫くことで中東地域全体に緊張をもたらした（第24章参照）。最初期の動きとして、２０２３年10月8日に空母打撃群（空母艦を主軸にした戦闘部隊）を東地中海に派遣することを発表し、10月15日には早くも2つ目の空母打撃群の派遣を決定したことが挙げられる。ブリンケン国務長官がイスラエルに何度も足を運んだほか、バイデン大統領も10月18日にイスラエルを訪問し、ハマースの攻撃を非難するとともにイスラエルへの連帯の意思を明言した。また、ウクライナ支援と併せる形で１４０億ドルのイスラエルに対する資金援助の実施の意向を10月19日に発表した（最終的にウクライナ支援とは切り離される形で11月2日に米下院を通過したものの、12月7日に上院で否決。その後、2024年2月13日に改めてウクライナ支援など と併せて上院で可決され、下院での審査が待たれている状態)。

戦闘が長期化し、11月にガザ地区での死者が1万人を超える頃になると、人道的休戦を求める発言がバイデン大統領やブリンケン国務長官から聞かれるようになるが、イスラエルの「自衛権行使」に対する支持は揺るがなかった。

ヨーロッパ各国は、当初はアメリカと同様にイスラエルへの連帯の意思を表明したが、ガザ地区での人道状況が悪化するにしたがって立場を変えていった。イギリスのリシ・スナク首相は、バイデン米大統領がイスラエルを訪問した翌日の10月19日にイスラエルを訪問し、ネタニヤフ首相と会談したうえでイスラエルへの連帯を表明した。この欧米各国によるイスラエル訪問は、ドイツのオラフ・ショルツ首相（10月17日）、イタリアのジョルジャ・メローニ首相（10月21日）、フランスのエマニュエル・マクロン大統領（10月24日）など、地上侵攻が始まるまで続いた。日本からは上川陽子外務大臣が、地上侵攻後の11月3日にイスラエルを訪問している。

イスラエルによるガザ地区攻撃が当初から破壊的な形で進められることで、アラブ諸国だけではなく非欧米諸国から非難の声が続いた。特にトルコのレジェップ・タイップ・エルドアン大統領は、10月20日の段階でガザ地区でのジェノサイドをやめるようにと訴え、10月28日にはトルコ建国100周年と関連づける形となった大規模抗議集会に登壇してイスラエルを非難した。またイランは、ハマースによる行動があくまで独自の判断によるものである点を強調しつつ、一方でイスラエルによるガザ地区攻撃を強い言葉で牽制した。意外であったのは、イスラエルとの関係正常化が間近と見られていたサウジアラビアが、こうしたイスラエル非難の声を取りまとめるような役割を担ったことだろう。この点は、２０２０年にすでにイスラエルと関係正常化を果たしているアラブ首長国連邦（ＵＡＥ）やバハレーンとの大きな違いであった。サウジアラビアはガザ情勢をめぐってイランとの外相会談を10月18日に実施し、11月11日には首都リヤードでアラブ連盟とイスラーム協力機構の合同サミットを主催し、イスラエルによるガザ地区での軍事行動が戦争犯罪であると非難する共同声明が採択された。

ロシアはガザ地区へのイスラエルによる封鎖と攻撃を、ナチス・ドイツによるレニングラード包囲に喩えて非難した。また、ハマース幹部のモスクワ訪問も報じられたことで、ウクライナ戦争のなかでも保たれてきたイスラエルとロシアの関係は、過去に例のない水準にまで冷え込んでいる。しかし、ロシアがイスラエルへの批判の声を束ねる立場を得たかと言えば、そうではない。むしろ、いわゆる「グローバル・サウス」と呼ばれる国々からは、大国の角逐とは異なる形で、今回の事態に対処しようとする動きが観察された。10月31日にはボリビアがイスラエルとの国交断絶を発表し、11月1日にはチリとコロンビアが、3日にはホンジュラスが駐イスラエル大使を本国に召還している。

国連安保理は、こうした各国の足並みが揃わないなかで、有効に機能しない状態に陥った。10月25日には戦闘の停止を求めるアメリカ案がロシアと中国の拒否権発動によって、またロシア案が多数決によって否決されることになった。また、12月7日にグテーレス事務総長が国連憲章第99条の発動によって安保理に戦闘停止に向けた行動を取るように要請したものの、決議はアメリカの拒否権によって8日に否決されるに至っている。その一方で、拒否権が存在しない国連総会では、多数決によってガザ地区での軍事行動の停止を求める決議が採択された。10月27日には121ヶ国が賛成（14ヶ国が反対、日本を含めて棄権が44ヶ国）して、ガザ地区で人道的休戦を求める決議が採択された。また、12月12日には、停戦を求める決議が日本を含め153ヶ国の賛成を得て採択されている（10ヶ国が反対、23ヶ国が棄権）。なお、国連安保理では、2024年3月25日にラマダーン期間中の即時停戦などを求める決議が採択された。この日本を含む非常任理事国10ヶ国が共同で提出した決議案に、アメリカは棄権で応じている。

ヨルダン川西岸地区の一部地域を統治するパレスチナ暫定自治政府（PA）は、ガザ地区でのイスラエルによる軍事行動を非難しつつ、ハマースとの積年のライバル関係が作用して、十分な働きかけを行っているとは言えない。バイデン大統領は、ガザ地区の戦後構想を問われ、「甦生されたPA」（revitalized Palestinian Authority）による統治が望ましいと2023年11月時点で発言した。一方で2024年2月22日にネタニヤフ首相が戦時内閣に提示した「戦後構想」――と呼ぶにはあまりに一方的な構想であるとイスラエルの『ハアレツ』紙に寄稿した元外交官のアロン・ピンカスは批判している――では、ガザ地区を非武装化した後に、ハマースなどの武装勢力とは無関係のパレスチナ人による行政管理が実施されることが示された。この戦後構想にPAへの言及がないことから、さまざまな憶測を呼んでいる。

国際社会、ことに市民による怒りと失望は、戦闘が継続されるなか各地で高まっていった。ワシントンやニューヨーク、パリ、ロンドン、ベルリンなどの欧米の主要都市で、数千人規模から数万人規模の停戦を求める抗議活動が行われたのは特筆すべきことだろう。特に10月18日にアメリカの議事堂で展開された抗議活動では、ユダヤ系アメリカ人が運動の中核を担い、500人近くが拘束される事態になった。こうした抗議活動の背景には、特に若者層でイスラエル支持が弱まっているという事情も指摘されている。日本でも、東京だけではなく大阪や名古屋、仙台、広島、博多などで停戦を訴える抗議行動が実施された。

イスラエルによるガザ地区への攻撃が苛烈を極めるなかで、国際NGOによる声明も数多く発出された。国境なき医師団やヒューマン・ライツ・ウォッチなど、国際的に高い評価を得ている団体が、ガザ地区での人道状態が限界を超えていることを複数回にわたって訴えた。特に12月18日には、ヒューマン・ライツ・ウォッチがイスラエルが人工的に飢餓状態をガザ地区に作り出し、ハマースなどへの圧力として利用していると非難を述べた。

本書の狙いと位置づけ

本書は、この過去最悪の人道危機が続くなかで編まれた。ただし、本書は2023年10月7日からの事態だけを論じるものではない。ガザ地区での戦闘に収斂した矛盾や社会的課題を理解するためには、中長期的な視座からの検討が不可欠だと考えたためである。また、戦闘のなかで失われた日常――ときに矛盾を含む日常――がどのようなものであったのか、改めて記録する試みでもある。したがって、本書の著者は、比較的最近になってパレスチナ／イスラエルを含む中東地域での留学や長期調査を行った研究者と、ＮＧＯをはじめとする実務家によって構成されている。『イスラエルを知るための62章【第2版】』（２０１８年）や『パレスチナを知るための60章』（２０１６年）とあわせ、本書がパレスチナ／イスラエルの「いま」を理解する手がかりになることを願っている。

第１部「ガザ情勢から見るパレスチナ／イスラエル」では、ガザ地区が置かれてきた歴史的・社会的文脈をたどる。特に封鎖下に置かれたガザ地区の状況と、それを生み出した背景を論じることが、この部の目的である。また第２部「日常のパレスチナ／イスラエル」では、人びとの生活に着目する。この部では、パレスチナ／イスラエルにおける日常生活を描きつつ、その「非日常性」を浮かび上がらせることが狙いである。最後に第３部「日本や世界との関わり」では、ガザ地区と日本や世界を取り結ぶさまざまな取り組みを重点的に論じる。国際ＮＧＯ、国連機関、外交関係者まで、実践に重点を置いた章がこの部には含まれている。本書の刊行に際しては、若手研究者による貢献はもとより、緊急人道支援にこの瞬間も携わっている実務家からの多大な協力を得た。また、次々と届く原稿を整理し、１冊の本にまとめ上げる作業では、共同編者である児玉恵美さんの尽力が欠かせなかった。さらに、明石書店の長尾勇仁さんには、事態が刻一刻と変化する中で、たびたび原稿の改稿を依頼することになった。本書に力を与えてくださったこれらの方々に、編者を代表して深く感謝を申し上げたい。

2024年4月1日

鈴木啓之

目次

Ⅱ　日常のパレスチナ／イスラエル

Ⅲ　日本や世界との関わり

◉パレスチナ／イスラエル全景

出所：Salman Abu Sitta, *The Return Journey,* BBC, PASSIA などを参考に編者作成

◉パレスチナ難民の移動と現在の居住地

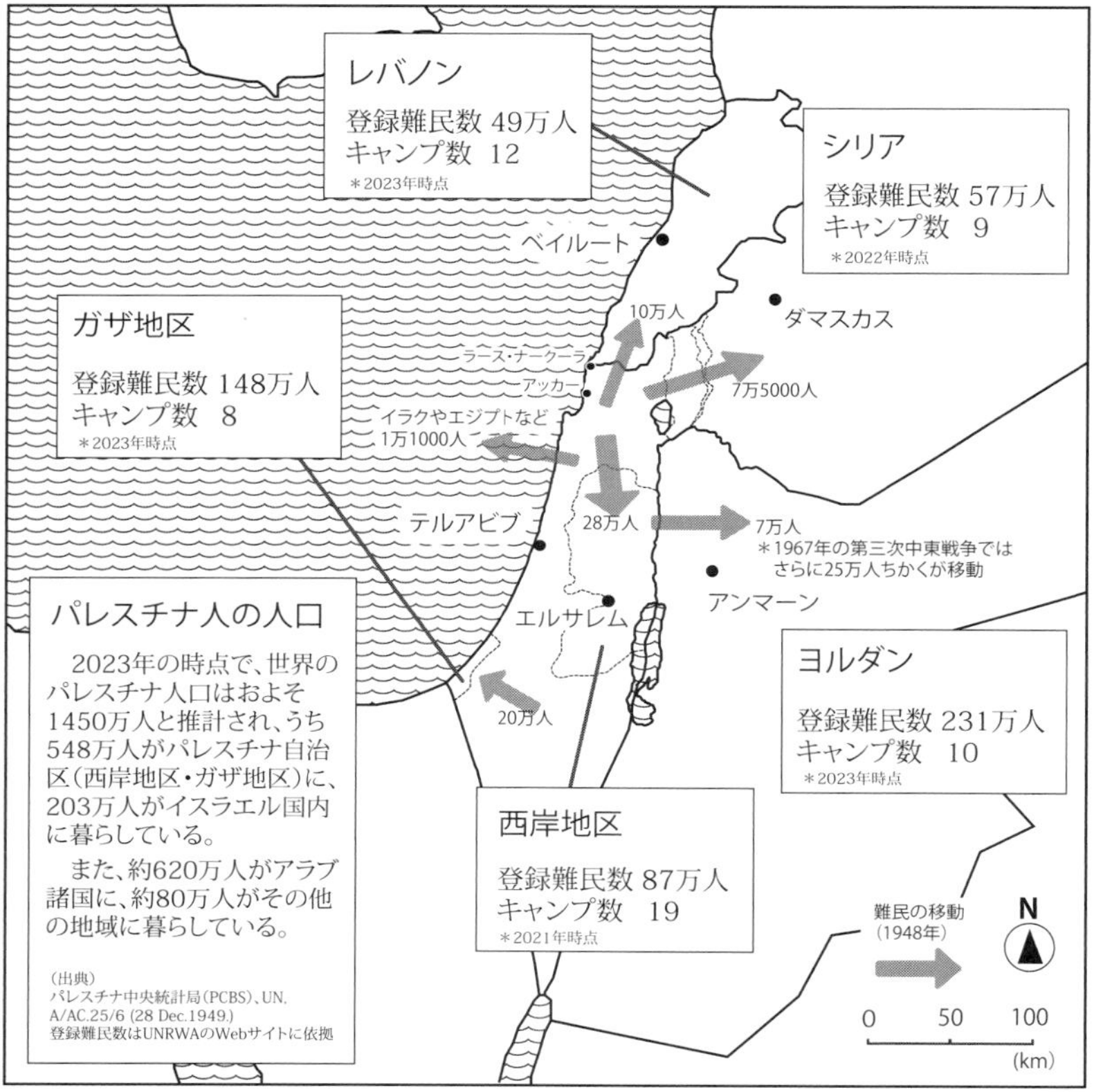

レバノン
登録難民数 49万人
キャンプ数 12
＊2023年時点
シリア
登録難民数 57万人
キャンプ数 9
＊2022年時点
ベイルート
ダマスカス
10万人
ラース・ナークーラ
アッカー
7万5000人
ガザ地区
登録難民数 148万人
キャンプ数 8
＊2023年時点
イラクやエジプトなど
1万1000人
テルアビブ
28万人
7万人
＊1967年の第三次中東戦争では
さらに25万人ちかくが移動
アンマーン
エルサレム
20万人
パレスチナ人の人口
2023年の時点で、世界のパレスチナ人口はおよそ1450万人と推計され、うち548万人がパレスチナ自治区（西岸地区・ガザ地区）に、203万人がイスラエル国内に暮らしている。
また、約620万人がアラブ諸国に、約80万人がその他の地域に暮らしている。
（出典）
パレスチナ中央統計局（PCBS）、UN.
A/AC.25/6 (28 Dec.1949.)
登録難民数はUNRWAのWebサイトに依拠
ヨルダン
登録難民数 231万人
キャンプ数 10
＊2023年時点
西岸地区
登録難民数 87万人
キャンプ数 19
＊2021年時点
難民の移動
（1948年）
N
0 50 100
(km)

出所：PASSIA, UN OCHA, PCBS などを参考に編者作成

I

ガザ情勢から見るパレスチナ／イスラエル

Unsplash Mohammed Ibrahim

1 ガザの風景

潮風が香る街道の町

ガザの原風景は、旧街道沿いの町と手入れの行き届いた果樹園や畑、そして海岸である。海岸線から10キロほど内陸に入ると、海抜100メートルに近い高地もあらわれる。ガザ市が海岸から続く比較的なだらかな平地に広がっているのに対して、南部のハーン・ユーニスやラファは高台に位置している。気候はおだやかで、気候帯としてはステップ気候に分類される。夏の最高気温は平均で30度ほど、冬でも日中は10度ほどの暖かさがある。ただ、記録的な熱波が到達すると、夏の最高気温は40度近くになる。また、6月から9月の夏期にはほとんど雨が降らない一方で、11月から3月頃の冬期には、比較的まとまった雨が降る。年間降水量は300ミリ前後であり、ガザ市から南へ下るほど降水量は少なくなる傾向にある。冬の夜間に雨が降れば、海風と相まって相当な寒さを感じる。

地域の植生は、おもに灌木とアザミやアネモネなどの草花によって構成される。植生はあまり豊かであるとは言えないが、土壌は灌漑によって農地化が可能である。ガザ市の南側には、

20世紀初頭のガザ
出所：Khalidi, *Before their Diaspora*

パレスチナ暫定自治政府が2000年に自然保護区に指定したワーディー・ガザ（ガザ渓谷）が東西にのびている。河川によって形成されたワーディー・ガザは渡り鳥の重要な中継地であり、大型の樹木も見られる。鷹やヒヨドリ、モズなどの他に、オガワコマドリやサンバード、ヤツガシラといった鳥がガザでは観察することができる。また、郊外にはケープノウサギやシマハイエナ、キツネなどの哺乳類も生息し、ラクダの群れを見ることもある。また、ガザ近海には、イルカも生息している。ただし、人工的に形成された狭い地域であることから、ガザのみに固有の動植物はいない。

地震や噴火、台風、竜巻のような自然災害がほ

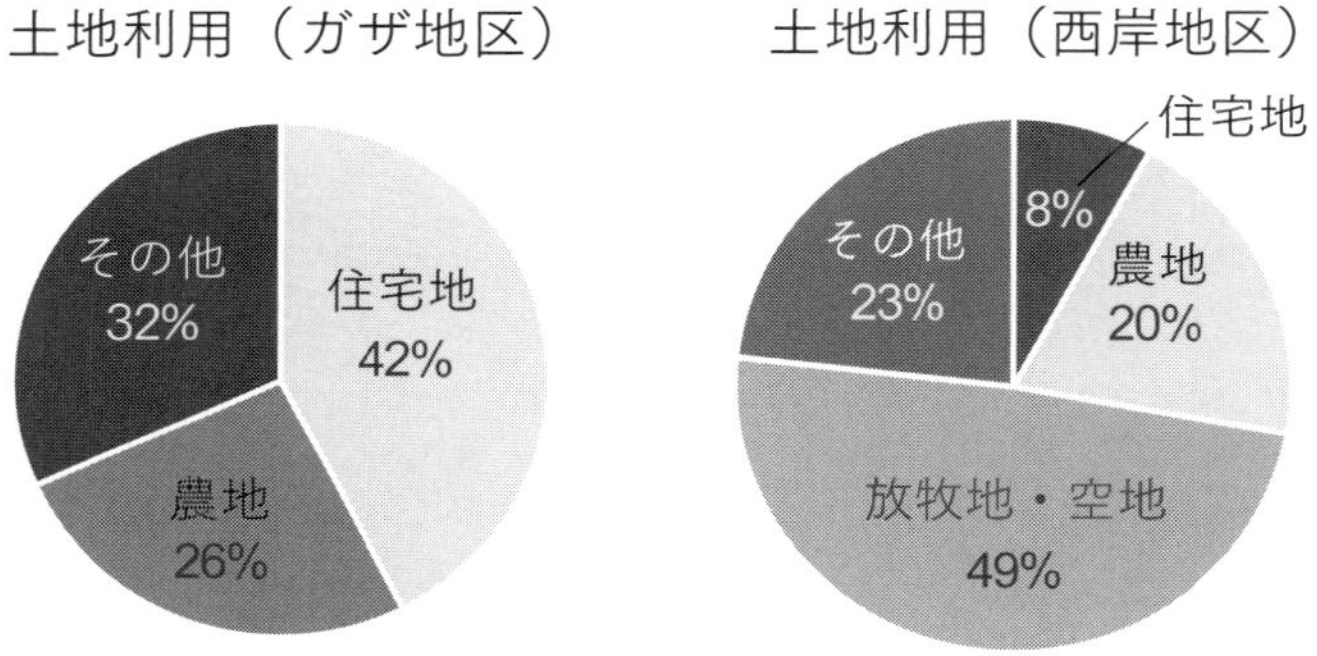

図1：西岸地区とガザ地区の土地利用
出所：パレスチナ中央統計局（PCBS）・2021年調査（%）

ぼ起きない一方で、輸出が可能な地下資源や鉱物、石材はほとんど産出されない。イスラエルによる開発調査でガザ沖に小規模な天然ガス田が確認されているが、精製や生産には大きな課題を抱えている。土地利用は、住宅地が地域の4割近くを占め、農地も25％近くを占めている。西岸地区では、イスラエルの入植地を除いた住宅地が地域全体の10％程度であることから、ガザがいかに住宅過密地域であるのかがよくわかる（図1参照）。ガザでは農業が盛んで、都市郊外には小麦やオリーブの畑が広がっている。また商品作物として、オレンジやイチゴが栽培され、1990年代にはヨーロッパ向けの贈答花の栽培もビニールハウスを利用して盛んに行われた。

ガザ地区は、1948年の第一次中東戦争によって形成された。この戦争で、シナイ半島を経由して南側からパレスチナに進軍したエジプト軍は、ネゲブやガザ近隣でイスラエル軍と戦闘を行った。こうして、エジプトが確保した土地が、現在のガザ地区である。アスカラーン（アシュケロン）を筆頭に、近郊の町村から多くの難民が流入し、さながらガザ地区はパレスチナ南部の難民集積地のような様相を呈した。１９４９年の時点で、28万人と見積もられているガザ地区住民のうち、およそ20万人が難民であったと試算されている。以来、ガザ地区の人口の7割を難民が占め続ける状態が続いた。ガザ地区には8の難民キャンプが設立され、北部のガザ市に位置するジャバーリヤーやシャーティーのほか、中部のデイル・アル＝バラフ、マガーズィー、ブレイジ、ヌセイラート、さらに南部のハーン・ユーニス、ラファァに至るまで、キャンプは地区全体に広がっている。

一方で、ガザ地区に含まれることになった諸都市の歴史は、意外なほど古い。特に中心都市であるガザ（市）の歴史は古く、紀元前15世紀の古代エジプト第18王朝のトトメス3世がシリア遠征を行った際、ガザに拠点が築かれたことがわかっている。ガザの地名は、旧約聖書のなかにも確認できる。『創世記』には、カナーン人の土地が「ガザに至り」と書かれていた。古典ヘブライ語では、「ガザ」（アッザ）という名称は「強さ」という意味に通じる。ガザはアフリカ大陸とユーラシア大陸をつなぐ場所であり、アラビア半島からの交易路も伸びていた。この交易路の重要拠点であったということを今に伝えるのが、「ハーシムのガザ」（ガッザ・ハーシミー）という、アラビア語の古い名称である。これは預言者ムハンマドの曾祖父にあたるハーシムがシリアとの隊商の途上、ガザで死去してここに埋葬されたという伝承に基づいている。また、時代は下るものの、14世紀になると、中東世界の大旅行家イブン・バットゥータもガザを訪問し、記録を残している（イブン・バットゥータ『大旅行記』家島彦一訳）。

遂にわれわれはガッザ（ガザ）の街に着いた。そこはエジプトに隣接したシリア地方の始まりの地で、町は雄大な規模に跨り、素晴しい市場を備えた人口の多いところである。また数多くのモスクがあるが、町を囲む市壁はない。かつてには華麗な大モスクがあったが、現在、そこの金曜礼拝［の大集会］が行われるモスクは偉大なアミール＝ジャーワリーによって建設されたものである。このモスクは堅固な造りと高雅な姿で、そこに備えられたミンバルは白亜の大理石で造られている。

ガザから伸びる街道は、南北にエジプトとシリアに到るものだけに留まらなかった。ベエル・シェバやヘブロン方面への道もガザから東に向けて伸び、まさにパレスチナの南の入口としてガザが存在していたことがわかる。オスマン帝国期には、エルサレムやナーブルスと並んでガザの名前を冠した州（リワー）が置かれ、その領域は現在のテルアビブにまで及んでいた。1799年に起きたナポレオンによるシリア遠征でも、パレスチナで最初にフランス軍の侵攻を受けたのはガザだった。この時にはパレスチナ北部のアッカーを防衛するジャッザール・パシャが、ペストの流行にも助けられてナポレオンの軍隊を退けることに成功している。ちなみに医薬品の「ガーゼ」の語源がガザにあるという説が散見されるが、アラビア語で生糸を意味する「カッザ」からの転用であるという説もあり、つながりは判然としない。

このガザと並んで古い歴史を持つのが、南部のハーン・ユーニスである。ハーン・ユーニスは、ヘロドトスの著作『歴史』に登場する都市「イエニュソス」までさかのぼる起源を持つ都市とされるが、現在の名称は14世紀にハーン（隊商宿）がマムルーク朝の高官ユーニス・ヌールーズィーによって置かれたことに起源を発する。また、ラファもシナイ半島からパレスチナに通じる街道沿いに発展し、古代ギリシアの頃には「ラフィア」の名称で呼ばれていたことがわかっている。

第一次世界大戦（1914〜1918年）の結果オスマン帝国が解体され、旧オスマン帝国領のパレスチナがイギリスの委任統治下に入ると、ガザ市やハーン・ユーニス、ラファには鉄道が敷かれた。ハイファーからスエズ運河の河岸にあるエジプトの町カンタラまで、物資や人を運ぶための近代輸送網が設けられ、ガザの諸都市は拠点としての役割を果たしていたのだ。

表1はイギリスによる委任統治の末期、1945年に実施された人口調査に基づいた各都市のデータである。パレスチナのその他の諸都市と比較しても、ガザの人口は決して小さくはなかったことがよくわかるだろう。1948年のナクバの際には、ガザ地区でも14万人と見積もられている人口のうち、約4割にあたる6万人近くが難民として域外に逃れた。ここに20万人

表1：ガザとその他のパレスチナの諸都市の人口規模（1945年）

ガザの都市	人口（人）	他の都市	人口（人）
ガザ	3万4250	エルサレム	15万7080
ハーン・ユーニス	1万1220	ハイファー	13万8300
ジャバーリヤー	3520	ヤーファー	9万4310
デイル・アル＝バラフ	2560	ヘブロン	2万4560
ラファ	2220	ナーブルス	2万3250
		アッカー	1万2360

出所：*Village Statistics*, 1945

の難民が域外から新たに流入したのは、先ほど述べたとおりである。

ガザ地区は、活発な政治の場でもあった。1948年9月にガザ地区に設立された「全パレスチナ政府」は、1959年6月に解体されるまでのあいだ、パレスチナ人の「亡命政府」の役割を担った。エルサレムのグランド・ムフティーであったハーッジ・アミーン・アル＝フサイニーを首班として、パレスチナの名望家出身の政治家らが、この政府に集った。また、ガザ地区に関わりのあるパレスチナの著名な人物に、カマール・アドワーンやアブー・ジハード（本名ハリール・アル＝ワズィール）がいる。ヤースィル・アラファートが政治組織ファタハを設立する際には、こうしたガザ地区に育った難民家庭出身の若者たちが多く駆けつけた。さらに、1991年のマドリード和平会議（中東和平会議）にパレスチナ人代表団を率いて参加した団長ハイダル・アブドゥッシャーフィーは、ガザ地区の名士だった。

活発な政治活動は、イスラエルによる住民への弾圧にもつながった。在米パレスチナ人研究者のラシード・ハーリディーは、1956年の第二次中東戦争（スエズ戦争）の際に、ガザ地区で住民を標的にした攻撃がイスラエル軍によって行われたことを挙げ、「しかし、ガザがこのような形で標的にされてきたのは意外なことではない。ガザは、1948年に故郷を奪われたパレスチナ人の抵抗が結集する場だったからである」と結んだ（ハーリディー『パレスチナ戦争』）。

潮風が香る街道の町は、パレスチナ人による政治の拠点でもあったのだ。

〈鈴木啓之〉

2 「封鎖」以前のガザ

うち続く反開発と人びとのスムード

ガザの夕陽

「ガザに住む私たちにとって、夕陽は必ず海に沈むものなのです。この海があることで、心をおおらかに保つことができるのです。しかし、若い世代はこれ以外の夕陽の姿を知らないのです」。

ガザに住む30年来の友人は、このように語ってくれた。浜辺から見る夕陽は、息をのむほどに美しい。日本人である私は、ガザの夕陽と別の夕陽を比較して、美しいと言える。しかし、ガザ地区の若い世代は、地中海に面した40キロ×10キロの小さな地区から出たことはほとんどない。それは、自らの意志ではなく、イスラエル軍の許可がないと出ることは許されない。生まれた時から「天井のない監獄」での生活を余儀なくされてきた。

占領と反開発

ガザ地区の封鎖とそれに伴う人びとの生活難というと、2007年にハマースがガザ地区を実効支配してからのこととして扱われることが多い。しかし、それ以前から長期間にわたって、ガザ地区の人びとの生活は困難な状況に置かれていた。

ガザ地区は、1967年の第三次中東戦争によって、イスラエルの占領下となった。占領下に生きるとは、どのようなことなのか。ホロコーストを生き延びた両親を持つユダヤ系アメリカ人でハーバード大学研究員のサラ・ロイ氏は、「占領とはひとつの民族が他の民族によって支配され、剝奪されるということです。彼らの財産が破壊され、彼らの魂が破壊されるということなのです。占領がその核心において目指すのは、パレスチナ人が自分の存在を決定する権利、自分自身の家で日常生活を送る権利を否定することで、彼らの人間性をも否定し去ることです」と、『ホロコーストからガザへ――パ

夕方の海岸を散歩する親子（筆者撮影）

レスチナの政治経済学』（青土社、２００９）で指摘した。

イスラエル占領下となったガザ地区では、パレスチナ人男性の多くはイスラエルへ出稼ぎに行き、生計を立てた。イスラエルで働くガザの労働者は、１９７０年頃は約６０００人であったのに対し、１９８０年代半ばには4万人を超えた。当時のガザ地区の人口は約50万人で約半数は14歳以下で就労年齢に達していない若い人口が多かった。また、仕事に就く成人女性は少なかった。そのような状況なので雇用労働者は9万人弱であり、約半数の雇用労働者はイスラエルで働いていたことになる。しかし、これらは、労働許可を取得した統計上の数であり、実際にはさらに多くのパレスチナ人がイスラエルで働いていた。従事した仕事は、下働き的な単純労働であり、約半数が建設業で、工業・農業・サービス業が各2割弱であり、イスラエルにとって安価な労働力であった。パレスチナ人の手取り収入はイスラエル人の半分にも満たなかったといわれている。当時、出稼ぎに行っていた男性から劣悪な労働状況への嘆きを聞いたこともある。高学歴者も現金収入のためにイスラエルで単純労働に従事した。それでも、生きていくために現金収入は必要だったという。

ガザ地区内において、イスラエルはパレスチナ人による経済活動を厳しく制限した。工業地帯の建設、労働組合の組織化、工場や協同組合などの設立、研究、研修など、様々な経済活動が制限された。イスラエル企業の下請会社として契約のある経済活動は許可され、工業製品や被服などの発注を受け、ガザ地区内の安い賃金で生産したものをイスラエルに輸出した。イスラエルにとってガザ地区は自国製品の市場でもあり、ガザ地区にはイスラエル製品が溢れ、その利益はイスラエルにもたらされた。１９８０年代半ば、ガザ地区の輸入の９割以上はイスラエルからであり、その内の約９割は工業製品と工業原料で、この工業原料というのはガザ地区内の下請け工場で製品を作るための原料や半加工品であった。ガザ地区からの輸出についても約８割がイスラエル向けであり、主要産品は工業製品つまり下請け工場で製作したものであった。ガザ地区へのイスラエルからの輸入金額に対し、輸出金額は６割程度でしかなかった。

ガザ地区の総所得は、１９７０年代から１９８０年代半ばにかけては年平均９％以上の成長があったとされている。それは、イスラエルへの出稼ぎによる収入がもたらしたところが大きい。しかし、占領下のガザ地区はイスラエル経済に組み込まれ、イスラエルで得た現金収入はガザ地区においてイスラエル製品の購入などに充てられ、イスラエルに還元される構造になっていた。一方で、ガザ地区内の産業は停滞し、特に工業はイスラエル企業の下請けが主なものとなっていた。

ロイ氏は、１９８０年代にガザ地区の経済に関しての綿密なフィールド調査を実施し、ガザ地区内の経済状況を反開発（de-development）と表現した。反開発とは、外部からの介入や資金によって、地域の経済を弱体化あるいは壊滅させることを意味している。ガザ地区内は経済発展できない構造、つまり、イスラエルの具体的な政策によって、ガザ地区において持続的な経済発展に必要なインフラを構築するなどの能力が制限され、事実上弱体化させられている、と指摘した。大きくとらえれば、自己決定や将来への可能性を構造的に否定された状況ともいえるだろう。ガザ地区は、反開発の状況が変わらないまま、イスラエルによる経済閉鎖や移動閉鎖により、さらに状況は悪化していった。

2000年代半ばに、米国に本部のある国際NGOの役員でもあったロイ氏と共にガザ地区に行ったことがある。イスラエルとガザとの境界線にある巨大要塞のようなエレズ検問所を越えるとき、ロイ氏が「私がガザに通っていた頃は、ここには旗が立った小屋のような建物があっただけなのに」と呟いていた。ロイ氏が著書『ガザ地区:反開発の政治経済学』(英語)で指摘しているように、イスラエルは1991年から人と物の移動の閉鎖をはじめ、1993年にはさらに厳しくなった。

和平プロセスのなかで起きていたこと

私がパレスチナにNGOによる母子保健プロジェクトの専門家として赴任したのは1995年だった。1993年のオスロ合意、1994年にはガザ・エリコの先行自治が開始された。和平ムードとは裏腹に、まず関わったのは子どもの栄養改善(栄養不良への対応)だった。

プロジェクトのパートナー団体であるスイスの国際NGO「人間の大地」は、1970年代半ばからガザの子どもの栄養課題に取り組み、1995年当時、ガザ地区に2ヶ所、ヨルダン川西岸地区に1ヶ所の子どもの栄養センターを運営していた。医師、看護師、栄養士などのスタッフのほとんどはパレスチナ人であった。私は、ヨルダン川西岸地区のセンターを拠点に働いたが、ガザ地区での活動に参加することもあった。

当時の「人間の大地」の報告によると、ガザ住民の95％以上が何らかの食料を購入しており、収入は食料確保のために最も重要だった。イスラエルで雇用されているパレスチナ人は、1995年には1992年の3分の1以下に減少した。イスラエルとの境界の閉鎖日数は1992年が28日だったのに対し1995年には125日に増加した。1人当たりの収入は1992年の約6割にまで減少した。

1995年に「人間の大地」は、ガザ地区全域を対象に5歳未満の子ども1500人をランダムに選び、栄養状態に関する調査を実施した。調査によって、14％の子どもが慢性栄養不良（年齢に対して身長が低い）、6％が急性栄養不良（身長に対して体重が少ない）であることが明らかになった。栄養不良と強く関連していた要因は、親の教育、子どもの食事回数、トイレの設備、食物を購入するために借金したかどうか、だった。

「人間の大地」のセンターに通う栄養不良の子どもの半数以上は生後6ヶ月未満であったため、母乳栄養、離乳食の進め方、感染症予防などに関する母親への教育に力を入れていた。離乳期以降の子どもには母親が調理実習で作った栄養価の高い食事も提供した。食料配給のみでは、それがなくなれば問題は再燃してしまうので、実践的な教育を重視していた。加えて、家庭訪問しながら個別の事情に合わせて対応もしていった。しかし、栄養状態が回復して治療やフォローアップが終了したにもかかわらず、再び栄養不良のためセンターに連れて来られる子どももいた。多くの場合、家に食べる物さえないことが原因と感じられた。

ガザの「人間の大地」センターのスタッフによる家庭訪問に同行することがあったが、難民キャンプの路地では仕事のない若い男性たちが昼間からゲームに興じる様子を目にした。栄養不良の子どもを抱える家庭の台所にあるのは米と小麦粉、生鮮食品はトマトとジャガイモぐらい、壊れた冷蔵庫は食器棚として使われていることもあった。夫や父親が失業して収入がないという話はどこの家でも聞いた。貧血状態にある母親は、「この前、肉を食べたのはいつ？」という質問に、「肉の味を忘れた」と答えた。それにもかかわらず、母親たちは私たちのためにコーヒーを淹れてふるまってくれるのだった。

閉鎖のなかでのパレスチナの産業

和平交渉が決裂するなか、2000年9月28日にアル＝アクサー・インティファーダ（第二次インティファーダ）が勃発した。イスラエルによるパレスチナに対しての経済及び移動の閉鎖は非常に厳しくなり、パレスチナの1人当たり国民総所得は1999年に3500ドルだったものが2002年には2300ドルまで減少した。ガザ地区の失業率は7割を超えたともいわれた。さらに、2002年から2007年の間にもガザ地区へのイスラエル軍による度重なる軍事侵攻や空爆があった。

２００２年にジョンズホプキンス大学が中心になって実施した栄養調査では、ガザ地区の５歳未満の子どもの栄養不良が指摘された。17％の子どもが慢性栄養不良、13％が急性栄養不良、19％は貧血症であり、緊急対応が必要な状況だった。

私は日本国際ボランティアセンター（ＪＶＣ）の一員として活動していたが、ＪＶＣはこの子どもの栄養課題に対して米国のＮＧＯ等と共同で、ガザの子どもたちの栄養改善プロジェクトを開始し、ヨルダン川西岸地区で生産した長期保存可能な牛乳と鉄分強化ビスケットを、ガザ地区の幼稚園の子どもたちに配給した。パレスチナで生産された製品を使うことが重要だった。パレスチナでは小学校に入学する前の1年間は幼稚園に通わせる習慣があり、貧困家庭の子どもは無料で通える幼稚園もある。幼稚園の選定を的確にすることで、最も栄養状況が厳しい子どもたちに届くようプロジェクトを運営した。

イスラエルとガザ地区の境界の閉鎖による物資搬入の困難が懸念されたが、国際支援物資としてヨルダン川西岸地区の製品をガザ地区に定期的に搬入することが可能になった。支援の輪が広がり、２００４年には2万人の子どもたちに毎日牛乳とビスケットを届けることができた。私は

2004 年 5 月のイスラエルのラファへの軍事侵攻では、支援先の幼稚園の子どもも犠牲になった。彼女は牛乳を楽しみにしていた（筆者撮影）

牛乳をしぼる男性。妻はこの牛乳でヨーグルトを作る。長寿と健康の秘訣と話してくださった（筆者撮影）

２００２年にこのプロジェクトの立ち上げに関わり、２００４年から２００６年はＪＶＣ現地駐在員として、状況が許すときは週の約半分はガザに滞在してプロジェクトに携わった。

　ガザ地区内で、このプロジェクトの物資を調達することはできないか。私の無理なお願いにパレスチナ人スタッフや国連職員の友人が付き合ってくれ、ガザ内を回った。４頭の牛を飼って家族と近所のお得意さんに牛乳を届ける老夫婦、小麦を生産する農家、夜遅くまで開いている「ボンジュール」というパン屋、ナッツや干し果物が入った伝統菓子を焼いているお菓子屋などなど。ガザの女性グループが、ガザ産の小麦とナツメヤシを使ってビスケットを焼けないかも検討した。残念ながら２万人分の牛乳とビスケットを定期的に供給することは困難との結論に行きついた。しかし、その過程で、大きな産業として成立することは難しくても、近隣を対象にしながら美味しいものを作り続ける店、伝統の味を守る人びと、土地を愛し農業を営む家族、ＮＧＯからの小規模貸付プロジェクトで新しいことを始めた女性など、力強く生きる人びとに出会うことができた。

抵抗としてのスムード

ガザ地区は、「封鎖」前も、反開発状況にあり、さらに1991年には閉鎖も加わり、人びとの生活は困難を極め、特に、未来を担う子どもたちの栄養状態に悪影響を与えていた。

そのようななかで、スムードという言葉をよく耳にした。スムードはアラビア語で忍耐を意味するが、パレスチナの解放・抵抗運動において、占領者に屈することなくパレスチナで生き続けること、として使われる。非暴力による運動ともいえる。ガザの30年来の友人は、「たとえ、不条理な状況にあっても、私たちは歌い、踊り、尊厳を持ち続けながら、私たちらしい日常生活を続ける。どんな状況になってもパレスチナには日常の営みがあり、若者たちがよりよく生き続けることができることをあきらめない。明けない夜はない。存在することは抵抗することでもある」というような感じで、スムードを語ってくれた。

ガザで共に働いた仲間、どんなに経済的に苦しくても客人をもてなす女性たち、小規模でも可能な範囲での産業を自ら営む人びと。何十年もの間、不条理な状況に置かれても、力強くスムードの精神を生きていることを感じさせられた。

〈藤屋リカ〉

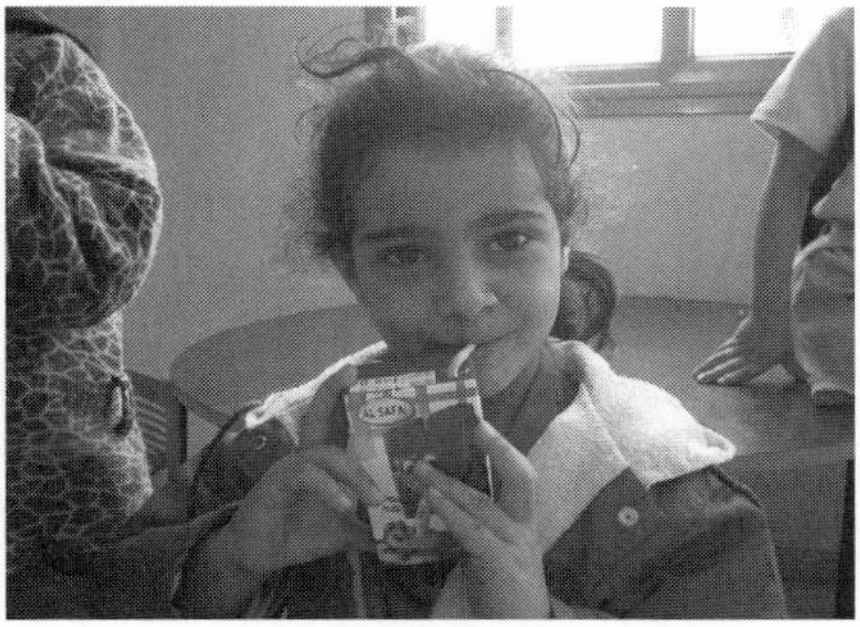

ヨルダン川西岸地区で生産された牛乳がガザの子どもたちの栄養に！（筆者撮影）

3 封鎖下の生活

若者の志を打ち砕く現実

ガザ地区で支援事業を10年近く担当し、現地にも頻繁に通っていた私は２００７年のイスラエル軍による封鎖開始以降の人びとの生活の不自由さを目の当たりにしてきた。特に私が見聞きした若者の生活に焦点を当てることで、封鎖下のガザの生活がより鮮明に見えてくるのではないだろうか。

移動の制限：外とのつながりの重要性

国連の調査によると２００７年のイスラエル軍による封鎖以前は、毎月平均５００万人以上がガザ地区北部のエレズ検問所を通って、ガザからイスラエル側に出ることができたが、封鎖開始直後は月平均1900人になり、それ以降は最大でも5万3000人にとどまる。ガザ出域には労働、緊急医療搬送などの目的で、イスラエル軍から許可を得なければならない。なお、イスラエルの企業との取引が許可されている業者（スーパーなどの小売店、養鶏、食肉加工、建設資材、木材など）や国連、各国大使館や国際NGOの現地職員は業務遂行上目的の出域許可が下りれば、長期間イスラエル側に滞在することができる。一方エジプトの国境に接するガザ南部のラファ検問所も封鎖以降はガザからの出国が極端に制限されている。国連の報告では封鎖以前は月平均1万3000人だったが、2007年の封鎖開始直後は360人のみ、それ以降最大で1万7000人の月もあったが、封鎖以前の水準を下回っている。第三国の滞在許可やビザ保持者、二重国籍者はエレズ検問所を通りヨルダン川西岸のアレンビー検問所からヨルダンへ、もしくはラファ検問所を通ってエジプトから各目的国へ渡航するためにガザの出域許可が出る。エレズ検問所から出域する場合は、アレンビー検問所に直行する専用のシャトルバスに乗るが、イスラエル国内、東エルサレムを含むヨルダン川西岸での途中下車は許されない。

当然2007年以降に生まれた人たちでは、ガザの外には一切踏み入れたことがない人や、出域してもヨルダン川西岸地区や東エルサレムに足を踏み入れたことがない人が多い。特に東エルサレムに位置するエルサレム旧市街には、イスラーム教の三大聖地のひとつアル＝アクサー・モスクがあるが、そこでお祈りをしたことがあるガザの人は少ない。私の所属する団体（パレスチナ子どものキャンペーン）のガザの現地職員の多くは、アル＝アクサー・モスクでお祈りをすることは一生のうちに叶うかどうかの夢であると常に言っていた。所属団体は国際ＮＧＯなので、許可が下りれば、ガザの現地職員もエルサレム、ヨルダン川西岸、イスラエルに渡航できる。しかし、全員が過去に許可を得られたわけではなく、一度も許可が下りずガザから出られないままの現地職員も多い。過去に許可が得られた現地職員は４人しかいない。

ガザの外に出るのはかなり困難だが、ガザの人びとは外の世界を知らないわけではない。ネット環境さえ整っていれば世界中のことを当然知ることができる。私の印象ではガザのスマホの普及率は非常に高い。高齢者でもスマホでＳＮＳを使いこなす人に多く会った。ガザに行けば現地の提携団体、事業の受益者、また現地職員の友人など初対面でもＳＮＳで必ず友達申請をされた。また会ったことがなくてもＳＮＳ上で共通の知り合いが見つかれば後で友達申請をしてくるなど、ガザではＳＮＳがコミュニケーションの必須のツールとして認識されている印象が強い。ガザの人びとにとって、ＳＮＳは単なるネットワークという意味だけでなく、ガザから出る自由がないといった物理的な制限を超えて、外の人たちとつながることができる重要な人生のツールであるという印象を持った。中には実際に会ったことがないガザの人と外国人がＳＮＳのつながりがきっかけで、恋愛に発展し、ついには結婚をしたというカップルもいると聞いたことがある。

経済の停滞

封鎖開始以降、ガザの経済は悪化の一途をたどった。移動の自由がなくなったということは、経済活動が縮小することを意味する。封鎖以前はイスラエル側への移動も比較的自由にできたし、タクシー会社、被服業、車の修理工場、鉄工所などを運営する小規模な自営業の人びとはガザ地区の外にも多くの顧客を抱えていた。またイスラエルには工事現場や清掃、ガソリンスタンドの仕事も多々あるので、体力ある若者は出稼ぎをして日銭を稼いだり、イスラエル側の雇用主の信用を得た人は長く勤めてマネージャー職を任されたりすることもあったと聞く。そのようなケースが2007年を境に極端に少なくなり、失業する者、収入が激減する者が多くいた。国連の調査によれば、封鎖開始以降はガザのGDPは少なくとも37%減少し、経済活動の縮小は人びとの生活に大きな影響を与え続けている。また2023年上半期のガザの失業率は46・4%に上る。

封鎖の影響は人の移動制限だけではない。物資の移動も極端に制限されている。ガザに出入りする物資はすべてイスラエル軍の厳格な検査の対象となり、例えば建築資材、化学物質、医薬品や医療機器の一部、プラスチック素材や木材に至るまで「軍事転用が可能」とみなされる物資はガザへの持ち込みが禁止されている。私の所属する団体はガザで最初の聾《ろう》学校やろう者の支援施設を共同設立したが、ろう者の生計支援事業として立ち上げたパレスチナの伝統刺繍製品、陶器、木工製品などの制作販売も物資の搬入制限の影響を大きく受けている。封鎖後は、刺繍用の糸や布が十分にガザに入らない時期もあり、陶器の原材料の土、木工製品用の木材なども規制の対象になり、注文が入っても十分な量の生産ができないので、思うように収入が確保できない。特に「ガザ」とアラビア語の文字が描かれたマグカップは外国人客にはかなりの人気だったが、2023年6月に私がガザ訪問をした時点ではまだ生産は再開されていなかった。生産できなくなって5年以上はたったと記憶している。

ガザでは人口全体の70%以上が1人当たり1日1ドルという世界銀行基準の貧困ライン以下で生活をしており、国際機関など外部からの支援に頼らなければ生活できない。他方、日本をはじめ欧米諸国がガザの起業支援を積極的にする動きもあり、IT関連分野での起業支援をする動きが2000年以降活発になってきていたが、封鎖下では今のところ継続性を持つ動きにはなっていない印象がある。

元現地職員に農業専攻で大学を卒業した若者がいるが、一念発起して日本人から教わった寿司を作り、スーパーなどで販売するビジネスを立ち上げた。ガザに来た日本人が家にある材料で巻き寿司を作ってくれたことがきっかけだった。それがあまりも斬新な食べ物で美味しかったので、当時失業していた彼はこれで何とか生計を立てようと思った。最初は誰も見向きもしなかったが、地道にコミュニケーションをとり、SNSでも発信を続けていると、問い合わせが増えて、フォロワーも2000人を超えるようになった。数ヶ月しないうちに毎日注文が入るようになった。サーモン、エビなどは人気が高く、アボカドと合わせると色合いもいいので

SNSでは映えるが、サーモンはガザではまず手に入らない。業者に聞いても封鎖の影響で輸入が非常に困難だと言われた。エビはスーパーに売っている冷凍ものが手に入りやすい。しかしかなりの高額なので簡単には買えない。しかもシュワルマ・サンドウィッチは日本円で約400円なので、手巻き寿司一本分にそれを大きく超える値段はつけられない。

このように封鎖が大きく影響して、起業しても様々な課題に直面する。彼はまだ寿司の販売で生計が立てられるようになっていなかった。他にバイトをし、親族にお金を借りながらやっと生活できている状態である。

若者の就職事情

仕事に就けないのであれば、清掃であれ、飲食店の手伝いであれ、廃品回収であれ、なんでもして生き延びるしかない。大卒で英語ができれば国際機関や国際・国内NGOなどの求人に片端から応募する。またガザの企業は定期的に求人を出しているわけではないので、いろいろな伝手を作りながら職を求めていく。ガザで滞在していた時、カフェなどにいくと必ず自分の履歴書を渡してくる人がいたし、ジャーナリズム、デザイン、アート、映像、写真などの専攻の若者は、常に大きなカバンを持ち歩き、自分のポートフォリオをその場で見せられるようにしている。最近はスマホで自分のSNSのページを見せ、友達申請をして自分を売り込みに来る人も多い。人口の半分以上が18歳以下であるガザは若者が多く、極端な失業率の高さのなか、若者のほとんどが失業状態だと言える。

欧米の大手ＮＧＯの担当者から聞いた話では、ひとつ求人広告を出すとガザでは通常４０００人から６０００人の応募があるらしい。しかも、同じような経歴の持ち主が多く、書類選考だけでも大変で、面接も数ヶ月かけて最終的に一人の候補者に絞らなければいけないので、採用活動もかなりの時間と労力を使うという。ガザでは求職者が多く、それに対しての求人が極端に少ない。大学を卒業しても就職するのは至難の業である。

女性と医療へのアクセス

封鎖下では通常の医療は受けられない。特に乳がんはガザの女性の死因の第１位と報告されており、５年生存率は先進国の90％に比べ、40％以下と極端に低い。前述の物資の搬入制限の影響でガザでは必須医薬品の29％は慢性的に在庫がない状態で、医療機器も十分に揃っていないことが主な原因であると指摘されている。特に放射線治療機器はイスラエル軍から「軍事転用可能」なものとしてガザへの搬入が許可されておらず、治療が必要な場合はガザの外へ出て東エルサレムか西岸の病院で治療を受けるしかない。その際は前述のようにガザ出域の許可申請をするが、時間がかかり、返事がないことも多々あるので、すぐに治療が受けられるわけではない。世界保健機関（ＷＨＯ）によると２０１９年から２０２１年の間では医療目的の出域許可申請数の65％しか許可が下りなかった。緊急に治療が必要な末期がんの患者などはガザ出域の許可を待っている間に命を落とすことになったケースも報告されている。また乳がんのホルモン療法の薬剤がガザでは常に不足しているので、乳がんを完治できず、再発させるリスクも高い。スハさんは24歳の時に乳がんを患った。早期の段階で治療はできたが、その薬剤が定期的に確保できず、その後12年以上も治療を続けながら苦しんでいる。

エンターテインメント

エンターテインメントの少なさは特に若者にとっては深刻だ。２００７年にハマースが統治を開始する以前は、音楽のコンサートなどが催されるなどリベラルな雰囲気が漂っていた。２０１３年の「アラブアイドル」というアラブ全域での歌の公開オーディション番組で優勝したモハメド・アッサーフさんもガザ南部で育ち、４歳から歌を独学で学び、プライベートパーティーや結婚式など、街中で自由に歌っていたという。映画館もかつては30ヶ所あったが、第一次インティファーダの混乱ですべて焼失した。その後数回の映画館復旧の試みは成功せず、現在ガザには映画館は1軒もない。今の若者にはエンターテインメントを楽しむ場が少ないのである。ハマースが統治するようになってから文化的なイベントは、ガザ政府の許可を事前に得なければいけなくなった。そもそも我々が一般的に考える音楽のライブコンサートやパフォーマンスをするエンターテインメントとしてのイベントの許可はなかなか下りない。男女が同じ場所に集まる音楽や舞台などのライブパフォーマンスは、保守的なイスラーム教の考えでは禁忌とされるからである。それでも「カッタンセンター音楽学校」、また「エドワード・サイード音楽院」のような教育機関による音楽の発表会などは認可され、男女別々で行われる結婚式で、爆音で音楽をかけて踊ることだけは例外である。

ガザにSol Bandという伝統的なアラブ音楽と現代的なポップミュージックを融合させたスタイルの音楽を作り続けているグループがある。そのバンドの男性ボーカルのハマダ・ナスラさんのキャラクターが際立っていて人気だった。ハマダさん曰く過去に50回以上はガザ政府から圧力をかけられてコンサートを中止に追い込まれたという。女性のファンが彼に合わせて歌ったり、踊ったりしている姿が不謹慎であるという理由だそうだ。また、バンドメンバーでラハフ・シャマリーさんという女性も歌うことがあったが、彼女はカフェやホールなど公共の場所で歌うことをガザ政府から一切禁止された。理由は女性だからである。彼女は今でもSNSで発信を続けている。

それでもガザには現在も使われているレコーディング・スタジオがある。ラッパー兼プロデューサーであるアイマン・ムガメスさんはそのレコーディング・スタジオを擁するデリア・アートセンターのマネージメントを担当する。封鎖下やハマースの統治下で音楽を作り、発信する場がほとんどない状況を憂い、若いアーティストの自己表現の場を広げていきたいと願っている。「デリア・アートセンターでは音楽のクラスを対面、オンライン両方で実施しており、若いアーティストが研鑽《けんさん》を積み、本格的に作曲、レコーディングができる場となっていた。ワファー・ナジリさんという女性のボーカリストもその一人で自身の音楽を作り、プロモーションビデオと共にSNSで発表をしている。フォロワーもかなり増えているが、ワファーさんはまだ一度もステージで歌ったことがない。表現の場やカルチャーの醸成を育む場をガザに求めることはできないのである。

ガザの人も我々とほとんど変わらない志向を持っているといってもいい。学校で学び、大学を出てよい仕事に就きたい。それから結婚して家庭をもって子どもを育てる。若者は夢に向かって自己表現をしたいのだ。ただ封鎖下では経済の停滞や社会の混迷による失業率の極端な高さや度重なる軍事衝突の影響で、社会インフラが幾度も破壊され続けて復旧できていない状態だ。それでもわずかに残っている資源や国際機関などからの支援に頼りながら生活している人がほとんどだ。若者に焦点を当てると、生きる希望が見出せない封鎖下の生活の現実がよく見えてくる。

〈手島正之〉

登下校中のガザの生徒
© パレスチナ子どものキャンペーン

4 国際社会とガザ

ガザの人びとと国際人道支援

2012年8月、国連はあるレポートを発表した。「Gaza in 2020: A liveable place?（2020年のガザは居住可能か？）」と題されたそのレポートは、当時から悪化し続けていたガザの状況を改善するさらなる努力がない限り、ガザは「liveable（リバブル・居住に適する場所）」ではなくなると警鐘を鳴らした。2012年当時約160万人だった人口は、2020年には210万人に増えると予想され（実際2023年現在人口約220万人と推計される）、基本インフラである電気、水、衛生管理などのニーズを賄えない状況の中、保健や教育など公共サービスの拡大も必要とされ、さらに住居も必要となる。人口の半数が18歳以下であるガザでは教育のニーズが高いが、たとえ大学を出ても仕事がないという問題も抱えていた。

瓦礫の街となったハーン・ユーニスでのアセスメントに向かう道中にすれ違った、破壊された家から使えるものを集め移動する人々（2024 年 4 月、筆者撮影）

レポートが発表された２０１２年当時、オスロ合意の和平プロセス停滞への失望、２０００年から２００５年のアル＝アクサー・インティファーダに続き、２００７年６月にガザは封鎖され人やモノの行き来が厳しく制限され、ガザの人びとを取り巻く環境は厳しくなる一方だった。それ以前にイスラエルでの就業許可を持っていたガザの労働者の多くは失業し、輸出入も限られたため、都市経済地域であるガザにおいて、外部との商業活動は不可欠であるため、封鎖下で経済状況は悪化の一途を辿った。

２０１６年４月に国連パレスチナ難民救済事業機関（ＵＮＲＷＡ）職員としてガザに赴任した私は、あと数年で人の居住に適さなくなる可能性のあるガザとはどのような場所かと不安に思ったものだ。イスラエルからエレズ検問所を通ってガザに入ると、イスラエル側とは明らかに違い、道路の舗装状況は劣悪で、砂埃が舞っていた。多くの車両が走っていたが、その合間を潜り抜けるロバや馬に引かれる荷車が、人、野菜や果物、工事用具や建物のコンクリートブロックなど、あらゆるものを運んでいた。酷使されるロバの哀愁を帯びた目や、道路の真ん中に繋がれておとなしく主人を待つ馬の姿が街の風景に溶け込んでいたのが印象的だった。

ガザが封鎖されて以来、ガザの人びとの出入りが厳しく制限される中、外部からガザに行くことができる人についても、外交官や国際人道支援機関の職員、ジャーナリストなどに限られていた。絶対的に外国人が少ないガザで、人びとはよく歓迎してくれた。特にアジア人は珍しく、近年の韓流ブームも後押しして、東アジアの顔やストレートの髪はまじまじと見られたり、一緒に写真を撮ってくれとにわかセレブのように扱われたりすることもあった。ガザにいる外国人は大抵ガザを支援している人という理解もあり、見知らぬ人から感謝されることもある。また、一般的にパレスチナでは歴史的観点から日本は中立であると見られ、さらにアニメなどを通じたイメージから日本に好意的であり、そもそも人懐っこい性質もあって無邪気に話しかけてくる人も多い。少しでもアラビア語で言葉を発すると、驚きながらもさらに親しみを込めた笑顔で話を続ける。長年にわたるパレスチナ問題が「世界に忘れ去られた」と言われることも多く、国際支援団体の存在は、それを否定する大きな存在であり、人びとの支えでもあった。

食料事情

高い失業率に伴い、ガザでは多くの人びとが国際機関などによる食料支援に頼って暮らしていた。ガザ封鎖から15年が経った2022年にUNRWAがパレスチナ中央統計局（PCBS）と共に行った調査「GAZA 15 Years of Blockade（ガザ・封鎖された15年）」によると、人口の8割以上が国内貧困ライン以下であり、ガザ封鎖前の2000年に約8万人だったUNRWAの食料支援受給者は、2022年には114万人に膨れ上がっていた。人口の8割が人道支援に頼って生きている状況だった。国際的に人道支援は現金配布が主流になりつつあるが、ガザの物流は自主的にコントロールできず、通貨価値やマーケットが外部要素によって変動する可能性が極めて高いため、ＵＮＲＷＡのガザでの食料支援は長年にわたって実物配布を行っており、それは地域安定化の一つの要素としての側面も持っていた。ガザの大部分が「都市部」であり、海や国境付近の土地へのアクセスが制限されるためにすべてを地産地消できる環境ではなく、外部との物流に頼らざるを得ない。それでも、私が赴任した２０１６年に比べ、２０２３年中ごろまでに手に入る食材の種類は確実に増えていたように思う。日本食で言えば、品ぞろえの良い大型スーパーで寿司海苔がほぼいつでも買えるようになっていたので、ガザで手に入る食材で巻き寿司を作ってよく友人に振舞ったものだった。一部、賞味期限が明らかに迫っているものなどもあったので、そういった事情でガザに流れてきたものもあったのではないかと想像する。ただし、それらいろいろなものを購入できる人は限られており、ガザの大部分の人びとにとって、ＵＮＲＷＡをはじめとする支援団体が行う食料支援がライフラインであった。

水事情

ガザの地下水は、２０１７年の時点ですでに9割以上が人間の消費に適さないと指摘されていた。私が住む場所は少し海岸から離れていたが、水道水は塩分を含み、飲料には適さなかったため、飲料水は別に購入していた。普通にシャワーを浴びていて、海から出た時のような塩でべたべたする感覚はなかったが、髪の色が自然と脱色されていくので日本とはやはり水質が違うのだろうと思っていた。また、赴任当時の２０１６年、土の浅いところに育つスイカはしょっぱいと言われていた。

電力不足により、下水処理が追い付かないために、下水がそのまま海に流されていた。ガザ渓谷は下水が溢れて川のようになっており、そこを通ると窓が閉まった防弾車に乗っていても下水のにおいがした。せっかく海に面しているガザだが、魚介類には気をつけろと言われることもあった。その後、２０２３年までに電力事情が多少改善される中で、ガザ渓谷やビーチの水質はましになっていたように感じられた。イチゴなどの農産物に節水農業が取り入れられ、海沿いや沖合に養魚場などもできて、水の改善は漁業や農業の発展にも寄与した。冬から春にかけてはイチゴ狩りに出かけ、海沿いに多くあったシーフードレストランでは、いろいろな種類の魚や、季節によってはエビやカニも楽しむことができた。しかし、依然として安全な飲み水は十分に手に入らない状況が続いていた。

電力事情

赴任当時、1日2～3時間しか電気がなく、その時間も不定期だった。ある日同僚が大変疲れた顔をしていたのでどうしたのかと聞いたところ、「昨日夜中の2時から電気が来たので、2時間かけて洗濯をしたり携帯の充電をしたりしていて、夜眠れなかった」と聞いて、電気によって生活がコントロールされる現実を見た。国連の国際職員が住む場所では、セキュリティ管理の目的もあり発電機が設置されていたため、私自身が電力供給時間によって生活を著しくコントロールされることはなかったが、一般的なガザ住民においてはそれが日常であった。その後、電力状況は多少の改善があり、ここ数年は、正確にではないが8時間毎に電気がある状態になった（8時間の通電後、8時間の停電を繰り返すため、一日の平均電力供給時間は12時間ほど）。また、太陽光発電によって電力不足を補おうという試みも進み、屋上にソーラーパネルを掲げる公共施設や一般住宅などの建物が年々と増えていき、海水を飲み水に変える脱塩処理施設なども太陽光で稼働する大規模な施設もあった。ガザの病院やＵＮＲＷＡが管理する診療所や学校では、日本の支援によって太陽光発電が取り入れられた場所も多かった。

医療事情

長年の封鎖の影響により、ガザの保健システムは２０２３年10月以前から崩壊寸前だった。優秀な医者がいても最新医療の経験がなく、機材や医療品、基本的な消耗品さえ不足していた。２０２０年の世界的なコロナウイルスパンデミックでは、コロナ患者に対応するキャパシティのないガザでは当初、徹底的な封じ込め政策がとられた結果、世界中でコロナウイルスが猛威を振るう中、最初のコロナ患者が確認された時にはその年の8月になっていた。その時、「封鎖唯一の功能」などという皮肉がソーシャルメディアで拡散された。そのような状況の中、ガザで国際機関の果たす役割は大きく、多くの医療機器などの支援や、外部からの医療従事者などによる技術協力によって、ガザの医療環境が改善されたり、基本的保健サービスを無料もしくは最低限の負担で提供することができていた。

それでも、がんなど多くの治療に必要な施設がないガザでは、ガザの外にある医療施設に頼らざるを得ないが、同じパレスチナ自治区のヨルダン川西岸地区にある医療施設に行くにも、イスラエルの許可を得ないと不可能であった。しかし、多くの場合その許可が下りない、または許可が下りるまで大変長い時間がかかるなどして、病状が悪化する、さらには最悪の場合手遅れになってしまうケースも報告されていた。患者が未成年者、または介助を必要とする場合には付添人も許可を得る必要があるが、患者本人のみの許可が下りて付添人は許可が得られないというようなケースもあった。このようなケースに対する交渉やアドボカシーを行うなどして、必要な人が必要な医療を受けられるよう働きかけるのも、国際機関の役割であった。

政治環境

２０１６年に赴任した当時、それまで約2~3年ごとに大規模な戦争が起きていたため（２００８／２００９、２０１２、２０１４）、「ちょうどいい時に来たね。もう２０１４年の戦争から2年。もうすぐまた戦争になるから、忙しくなるよ」と冗談で言われたものだった。「大規模な戦争」としてカウントされるもの以外にも、メディアなどで大きく報道されることはない攻撃の応酬は何度もあった。2018年から2019年にかけては、「帰還の大行進」と呼ばれる国境付近での大規模なデモ活動が起きた。イスラエル建国から70周年、同時にパレスチナ人が土地を追われ難民となったナクバから70年であったタイミングで、アメリカが大使館をエルサレムに移設することを宣言、実施したことをきっかけに、ガザ住民の封鎖への不満が合わさって起きたこのデモでは、多くの死傷者が出た。その頃から、それまで数ヶ月ごとに数日しか稼働していなかったエジプトのラファ検問所が定期的に開くようになり、イスラエル側に出るエレズ検問所以外からガザを行き来する可能性ができたが、それでも大変な時間とお金がかかる上に安全や人間らしい扱いが保証されないなどの問題があった。

ガザ中部ヌセイラートのUNRWA学校で避難生活を送る子供たち。この数日前までこの地区で激しい攻撃があった（2024年4月、筆者撮影）

2021年5月には、2014年以来最大規模の戦闘が起き、停戦後、国連機関などが中心となって再建が進められた。戦争の後、同僚の一人が言った言葉が強く印象に残っている。ガザの人びとは、国際社会に支援を求めているわけではなく、自分の国を持ち尊厳のある暮らしをするチャンスが欲しいのだ。人びとは、国際人道支援に頼りたくて頼っているわけではなく、頼らずに生きられない状況に陥ってしまっているのであると。そしてこの状況が改善し、ガザの人びとが自分たちの暮らす場所を自治できる体制を確立し、それが実現するまで国際社会は大きな役割を担っている。

まとめ

２０２３年10月７日から始まった現在のガザ侵攻により、これまでガザの人びとや国際社会が積み重ねてきた多くの努力が振り出しに戻ってしまった。国連貿易開発会議（ＵＮＣＴＡＤ）が２０２４年１月に出したレポート「Preliminary Assessment of the Economic Impact of the Destruction in Gaza and Prospects for Economic Recovery（ガザ破壊の経済的インパクトにかかる暫定評価と経済的復興の見通し）」によると、仮に即刻停戦となりガザの再建が開始され、２００７年から２０２２年平均のペースで経済発展が進む場合でも、２０２２年のＧＤＰレベルに戻るのは68年後の２０９２年になるという。さらにその後数ヶ月にわたり戦闘が続く中、その想定もさらに悪化していることだろう。多くのインフラが失われ、ガザは本当にリバブルではなくなってしまっている。たとえ今すぐに停戦になっても、多くの人びとはすでに住む場所が破壊され、インフラ、保健や教育など、あらゆる生活に不可欠なサービスが機能不全に陥っている。２０２３年10月以前からすでに限られていた、公共サービスを支える産業も失われた。漁業や農業などの第

2023年10月以前は、何もない空地だったエジプトとの国境付近に広がるテント。左側の黒いフェンスの向こうはエジプト（2024年4月、筆者撮影）

緊急避難所となっているUNRWAの学校。校舎に入りきらない人々が、校庭にビニールシートなどでテントを立て暮らしている（2024年4月、筆者撮影）

一産業を営んでいた人びともいたが、必要な器具の不足や戦闘と破壊などによる土壌や水の汚染なども深刻で、再開には相当の時間とお金が必要になるだろう。日本では「サステナブル」という言葉が一般的に使われるようになる一方で、繰り返される戦争がガザをサステナブルから遠のかせている。

ガザの人びとにとって、国際機関で働くことは一つの目標でもある。一般的な仕事に比べて安定的に給料が支払われるというのが一番の理由で、通常の仕事では急に減給されたり、何ヶ月にもわたり全く給料が払われなかったりというケースも多いからだ。そして何より、国際機関で働くガザの人びとはガザの状況を改善したいという志を強く持っている。今後大規模な復興が必要となるガザ。すべてが失われてしまったガザで、優秀な人びとが希望ある未来のガザを作り上げていく姿が見られるよう、これからも国際人道支援、そして国際社会のサポートが不可欠である。〈吉田美紀〉

5 ハマースとガザ

抵抗と統治のはざま

2023年10月7日、中東随一の軍事力を誇り、国家安全保障に心血を注いできたはずのイスラエルは大規模な奇襲攻撃を受けた。民間人、兵士、警察官などあわせて約1200人の死者を出し、250人ほどが捕虜として連れ去られた。戦乱に満ちたイスラエルの歴史においても、たった1日でこれほど多くの犠牲が払われたことはなかった。10月7日の攻撃が「イスラエルにとっての9・11」と表現されるのも無理はないだろう。

この衝撃的な事件を実行したのはガザ地区を拠点とするイスラーム主義運動ハマースである。10月7日以来、世界の関心はハマースの一挙手一投足に向けられるようになった。ハマースとは何者なのか、何を考えて行動しているのか。もし、イスラエル政府が主張するように、ハマースが「イスラエルの破壊を目論む残忍なテロ組織」なのであれば話はわかりやすい。しかし、この単純な危険視は実態と大きくかけ離れている。ハマースの35年余りの歴史から浮かび上がってくるのは、様々な顔を持ち、いくつもの役割を兼ね備える政治アクターとしての姿である。

ハマースは、1987年12月に占領地で発生した民衆蜂起インティファーダを契機にガザで結成された。正式な名称は「イスラーム抵抗運動」で、ハマースはアラビア語名の頭文字を取った略称である（ハマースという言葉自体は「熱情」を意味する）。運動の前身であるムスリム同胞団は、診療所やスポーツクラブなどを運営し、パレスチナ社会に深く根付いていたが、政治的、軍事的な闘争には関わってこなかった。しかし、1980年頃からイスラエルのレバノン侵攻やPLO（パレスチナ解放機構）の弱体化の影響を受けて、ムスリム同胞団員のあいだでも対イスラエル抵抗運動の気運が着実に高まっていた。こうした経緯で結成されたハマースは、社会福祉活動で培われた草の根のネットワークを駆使して瞬く間に勢力を伸ばし、PLO諸派と並んで民衆蜂起を牽引した。

ハマースが掲げる理念は、イスラエルの非承認と抵抗運動への従事に集約することができる。ハマースは1967年の第三次中東戦争において占領された地域だけでなく、独立戦争でイスラエル領となった地域も含めた歴史的パレスチナ全土の解放を求めてきた。結成直後から、1967年の占領地における独立パレスチナ国家を容認する姿勢もたびたび見せてきたが、それでも表立ってイスラエルを正当な国家として承認することは控えている。そして祖国解放の手段としてハマースが重視するのが抵抗運動である。とりわけ武装闘争の必要性は創設時から一貫して強調され、占領下の人民に認められた正当な権利として位置づけられている。

ハマースが登場したのは、ちょうどPLOがイスラエルを承認し、武装闘争を放棄して和平交渉に専念していく時期と重なっていた。ハマースが人気を得ていった背景には、従来の立場を軟化させたPLOに対するオルタナティブとしての期待があった。1993年にイスラエルとPLOのあいだでオスロ合意が結ばれ、曲がりなりにも二国家共存案が既定路線になると、PLOに対する批判勢力としてハマースはさらに存在感を示すようになった。ハマースにとって、イスラエルを国家として承認し、歴史的パレスチナの大部分を放棄するオスロ合意は受け入れがたい譲歩だった。ハマースはオスロ合意によって結成されたパレスチナ自治政府にも参加せず、和平プロセスが進む傍らでイスラエルに対する武装闘争を独自に継続していった。

1993年から2000年まで、イスラエルとPLOのあいだでオスロ合意に基づく和平交渉が続けられた。だが、パレスチナ人が目指した独立国家は創設できず、占領地の経済状況も向上しなかったため、社会には不満が募っていた。そうした状況下で2000年9月にアル＝アクサー・インティファーダが発生した。ハマースのみならず、PLOの中軸を占めるファタハや、他にもイスラーム聖戦機構など、様々な政治勢力が参入し、占領地全土でイスラエル軍との衝突が繰り広げられた。非暴力の市民的抵抗が中心だった1987年のインティファーダとは異なり、アル＝アクサー・インティファーダは武力対立の色彩を強く帯びていた。ハマースは2000年以降、イスラエル領内の市民を標的とした自爆攻撃など、武装闘争をさらに活発化させ、「テロ組織」の代表格としてイスラエル社会から恐れられるようになっていった。

創設から2000年代初頭までのハマースは、結成以前からの社会福祉活動を継続しつつ、歴史的パレスチナの全土解放を目指して武装闘争に従事する抵抗運動として成長してきた。しかし、2006年にパレスチナ自治政府の立法評議会選挙に参加したことで、ハマースは新たに政党としての側面を持つようになった。

ハマースは従来の方針を転換して立法評議会選挙への参加意志を固めた背景として、アル＝アクサー・インティファーダの発生と和平プロセスの頓挫によって自治政府の基盤となっていたオスロ合意の枠組みが破綻したという認識を示した。ハマースは選挙を通じて自治政府を内部から改革することがパレスチナ人の政治的な影響力を高め、祖国解放を前進させることにつながると考えたのである。ハマースの立場から見れば、立法評議会選挙への参加は、それまで武装闘争という軍事的な手法で進めてきた抵抗運動を公的な政治の舞台にも拡張させる試みであり、運動の成長に伴って自然と活動領域が拡大してきた結果であった。

そして2006年1月の立法評議会選挙でハマースは勝利を収めた。その要因として指摘されるのは、第一に、PLOやファタハへの強い不満である。和平プロセスが事態を好転させられなかったことや、ファタハ率いる自治政府に汚職が蔓延していたことなどから、反オスロ合意の立場を堅持してきたハマースに代替勢力としての期待が向けられた。さらに、第二に挙げられるのは、ハマースの社会福祉活動と武装闘争に対する高い評価である。ムスリム同胞団の時代から続けられてきた社会福祉活動は占領下で苦しい生活を余儀なくされるパレスチナ人から強く支持され、その効率的な仕事ぶりはハマースへの信頼とクリーンな印象につながった。また、選挙の前年にあたる2005年にイスラエルがガザ地区から駐留軍と入植地を撤退させたことは、ハマースの長年にわたる武装闘争の成果として捉えられ、ハマースの人気を高める一因となった。

しかしハマースの選挙での勝利は大きな混乱をもたらすことになった。イスラエルやアメリカは、ハマースがイスラエルを承認していないことと武装闘争を放棄していないことを理由に、ハマースが参加する自治政府の政権をボイコットする意向を示した。自治政府の存続において、イスラエルが代理で徴収する税金やアメリカをはじめとする国際社会からの支援金は不可欠であり、特に財政的な結びつきが断たれることの影響は甚大だった。しかし、それでもハマースにとってイスラエルの承認と武力闘争の放棄を受け入れることは、自らが拠って立つ原則を捻じ曲げる自殺行為だった。

選挙結果に従って2006年3月にハマースの単独内閣が発足されると、欧米諸国は自治政府への援助を停止し、ハマースが率いる自治政府は国際的な孤立を深めた。その後、旧与党であるファタハとの連立政権の樹立が模索されたが、政治的・外交的な立場の違いから両者は共同歩調を取ることができなかった。自治政府の政治権力をめぐるハマースとファタハの駆け引きは武力対立に発展し、2007年6月には全面的な衝突を経てハマースがガザ地区を制圧するに至った。西岸地区ではファタハ主導の新内閣が発足され、飛び地である両地域は政治的にも分裂してしまった。

ハマースは選挙での勝利とファタハとの内戦を経てガザ地区を実効支配する統治機構としての役割を担うようになった。統治者としてのハマースが取り組むべき課題は治安の安定化と経済の建て直しであった。治安の問題に関しては、ガザに残るファタハ勢力との和解や反対勢力の弾圧に加えて、アルカーイダ系の武装組織や犯罪集団の摘発が試みられてきた。実力行使でハマースの統治を転覆させようとする動きは今日まで見られておらず、政治支配の要諦である「暴力の独占」にはある程度成功したことが窺える。おそらくハマースにとってより深刻だったのはガザ地区の経済問題である。イスラエルは2005年の撤退以降、ガザ地区の社会経済状況を外側から管理するようになり、すでにこの頃から人やモノの出入りに制限をかけてきたが、2006年の選挙におけるハマースの勝利と2007年のガザ制圧を受け、ハマースの力を削ぐための方策として本格的な封鎖を開始した。食料や燃料、建築資材、医療物資などの輸入、農作物や工業製品の輸出が厳しく制限されるとともに沿岸地域の漁業水域も大きく縮小された。その結果、ガザに住むパレスチナ人の生活は国際援助機関の人道支援とシナイ半島につながる数百の地下トンネルを介した物流に依存するようになった。

ハマースは事実上の統治機構として、ガザに住むパレスチナ人の生活状況を少しでも改善させ、不満を解消していく必要に迫られていた。そこでハマースが選択したのは軍事的な手段を通じてイスラエル政府に圧力をかけ、封鎖の緩和を譲歩として引き出すことだった。実際に2008年6月にイスラエルとハマースの非公式交渉で成立した休戦協定によって基礎的な生活物資に関する制限が一時的に緩和された。こうした休戦協定においてハマースはイスラエル領内にロケット弾を撃ち込もうとする他の政治勢力を制止し、ガザの実質的な統治責任者としての役割を果たそうとした。最終的にこの休戦協定は2008年12月から2009年1月に起こったイスラエルのガザ攻撃によって破棄されることとなったが、その過程でもハマースは封鎖の解除を条件とする休戦の維持に強い関心を見せ、武装闘争の抑制を必要な妥協として受け入れる可能性を示した。その後、2012年と2014年に勃発したイスラエルとの大規模衝突における休戦交渉や、2018年に市民社会の運動として始まった「帰還の大行進」の対応においても、ハマースは、封鎖の解除と引き換えに、ガザからの攻撃の停止やイスラエルとの境界付近における軍事的な緊張の緩和に尽力する構えを見せていた。しかし、イスラエルはハマースの要求に正面から応じようとせず､両者の「暴力を通じた対話」が繰り返されるなかで、ガザの人道危機は年を追うごとに深刻化した。

2007年以降のハマースは対イスラエル抵抗運動の側面とガザにおける統治機構の側面を併せ持ち、両方の「顔」を同時に見せることで組織としての生存を達成してきた。そこにはP

LOが運動から政府に変貌する過程で犯した失敗からの学びがある。ハマースがイスラエルやアメリカから突きつけられてきた要求は、イスラエルの承認や武装闘争の放棄など、かつてPLOが正式なパレスチナ人の代表として認められ、和平交渉に参加するために求められた条件と重なっていた。PLOは、これらを受諾し和平交渉を開始した先に独立国家が樹立される可能性に賭けたが、結果的に主権国家とは程遠い自治政府の結成に留まり、祖国解放はほとんど前進しなかった。この失敗を目の当たりにしたハマースは抵抗運動としての原則的な立場を変えないまま統治機構としての役割も果たそうとしている。これまでにもハマースは、イスラエルとの長期的な停戦や1967年の占領地における国家建設を容認する意向をたびたび示してきたが、それは、イスラエルの正当性を直接的に認めることなく、また武装闘争の可能性を完全に捨て去ることなく、二国家共存を土台とする国際社会の価値観に適応し、政治的な対話が可能なアクターとして自らを位置づける態度の表れである。

ハマースが歩んできた歴史を振り返ると「イスラエルの破壊を目論む残忍なテロ組織」という特徴付けは、ハマースの一側面だけを取り上げ、さらにそれを曲解したものであることがわかる。武装闘争がハマースの中核にあることは間違いないが、その活動領域は社会福祉、政党政治、国家統治にも跨がっている。またイスラエルとの対決姿勢が前面に押し出されることは確かに多いが、ガザ地区を統治する責任者として、また変わりゆく政治的現実に順応するアクターとして柔軟性を備えていることは見逃せない。ハマースの行動を理解していく上で重要なのは、単純な危険視とは対照的に、その多様な役割と多岐にわたる活動の幅を認識しておくことだろう。

〈山本健介〉

6 イスラームと政治

その規範的観点と歴史的文脈

本章ではイスラームの規範的観点からパレスチナ問題について考える。その際に前提としておきたいことが三点ある。

第一に、パレスチナ問題は「宗教紛争」ではない。宗教は重要な論点だが、教義そのものが紛争の原因ではないし、宗教が常に紛争解決の障害になるわけでもない。この誤解は単に歴史と宗教に対する無知に由来する。第二に、このテーマは「ムスリムの実態」とは次元が異なる。「規範」と「実践」は別次元の問題だからである。例えばハマースがイスラーム的かどうか、またパレスチナ問題がイスラームの視点から見てどのような意義を持っているのかを知るには、イスラームの規範的観点を基準としなければならない。第三に、パレスチナ人の9割以上はムスリムである。ピュー・リサーチ・センターが2013年に行った大規模な世論調査では、パレスチナ自治区住民の89％が「シャリーア（後述）をその土地の公式の法とすることに賛成」と回答しており、当事者の多くがイスラーム的価値を尊重しているとわかる。彼らの論理をより深く理解するには、やはりイスラームの理解が重要といえる。

イスラームの基本についても確認しておこう。まずムスリムにとって唯一神アッラーとは、この世界や宇宙の存在そのものを基礎づける論理的に自明の存在であり、それゆえ主権者かつ立法者とみなされる。「イスラーム」はアッラーがもたらした理念型としての法（シャリーア）そのものである。イスラーム法学（フィクフ）とは、シャリーアの部分的言語化メディアである聖典の解釈や、それを逸脱しない範囲内での理性的類推等を法源として、演繹的かつ世俗的に導きだされた行為規範学の体系である。したがって「ムスリムはこうすべし」といった規範的命題の多くは暫定的で、修正・再解釈の余地が残される。またイスラーム法は人の内面的信条のみならず社会生活全体を包括する。つまり、政教を一元的に捉える。そして、このイスラーム法の支配によって運営される国家がイスラーム国家と呼ばれる。本章におけるイスラームの規範とは、聖典の中の明文規定や、世俗的・暫定的法体系としての（スンナ派の）フィクフの通説という視点を意味している。

以上を踏まえ、まずは歴史を振り返ってみたい。現在、イスラエル／パレスチナと呼ばれる地域は、20世紀初頭までイスラーム帝国であるオスマン帝国の一部であったが、外からは植民地主義支配と、内からは民族主義の興隆により崩壊し、最高指導者であるカリフも廃位となった。これは当時のムスリムにとって、それまで当たり前であったイスラームを規範とする秩序そのものの崩壊を意味する、未曽有の大惨事であった。たとえるなら、日本の天皇制や憲法、世俗主義の原則が廃止され、外来の宗教団体が未知の信仰に則って分割統治を始めたような状況である。イスラーム世界から見た「未知の信仰」には西洋由来の特殊な政治的イデオロギーである民族主義や世俗主義などがあった。よって植民政府や後のイスラエル国家は、単に軍事的脅威であるだけでなく、各種の外来イデオロギーを伴ってイスラーム世界を侵食・破壊すべく建設された前線基地のような存在でもあった。

では、民族主義とは何か。イスラームでは世界の根源にして創造主・立法者であるアッラーだけを主権者とみなす。人間の自由や権利はアッラーの慈悲により与えられたものと自覚・信仰してこそ、人は正しい自由を手にすると考える。一方、近代西洋で「個々人は完全に自由であり、ゆえに主権者である」とする特殊な形而上学的信念が発生すると、それに基づく人権思想が政治の最高原理となった。同時に、特定の文化や言語、歴史を共有し、帰属意識を共にする個人の集団としての「民族（〇〇人）」という枠組みの存在が自明視され、彼らの主権を委託し、それを実現・保障する枠組みとして「国民国家」の建設が促された。つまり民族主義においては、すべての人間が何らかの民族に帰属し、国境で隔てられた各々の国家に所属すべきとされ、想定される「民族の集団的意志」に不可侵かつ至上の価値が見出される（民族自決）。これは排他的な性質を持ち、他民族や被支配民族に対する差別や抑圧が正当化される（例えば日本では、外国人は入国のために査証が必要であり、参政権がない）。被支配民族となった人びとは、差別の解消や縮小のために行動したり、完全な分離独立を目指すこともある（現在のパレスチナ人等がこれにあたる）。

例えばかつて「フランス地方のユダヤ教徒」だった人びとは、「フランス人ユダヤ教徒」にはなりきれず「ユダヤ人」、すなわちひとつの民族とみなされ、差別は制度化された。彼ら自身もこの論理に飲み込まれて自らを民族とみなし、その排他的な安全を保障すべく展開したのがシオニズムであった。こうした状況は、民族主義が抱えたジレンマであった。民族自決の考え方を推し進めていくと、世界は無限に小さな民族という単位によって分断されざるを得ない。今は同じ日本人だと信じていても、いずれアイヌ人・琉球人・関東人・関西人などが独自の「民族意識」を強め、各々の国民国家を求めるという状況を想像してみるとよい。こうなると、人の移動は無数の国籍と国境によって差別・制限され、富（資源）の格差も制度化される。それは対話と協調に基づく世界の平和という普遍的理念とは正反対にも思える。

普遍宗教を自認するイスラームにとっても、これは危険な考えであった。イスラームでは、人種や文化、言語の差異の存在を否定しないが、政治的単位は専ら信仰の違いによって区別される。そのうえで異教徒に対する無用な敵意や差別を戒め、彼らの安全を保障する論理を有していた。イスラーム法は単一で全ムスリムに適用されるため、国家も必然的に単一で、ゆえに国境は存在せず、その内部で富を法に則り分かち合うべきとされた。この原則を反映したイスラーム帝国は、制度的に多民族・多宗教の共存を緩やかに実現していた。

しかしそうした秩序は、信仰が人びとの心に根付いてこそ維持される。対して、言語や外見、文化の違いは人間の直感に強く訴える。差異意識が一旦固定化すると、そこから逃れることは容易ではない。イスラーム世界に民族主義の考え方が流入した時、特にアラブ地域の人びとはこれを経験した。アラビア語を話す人びとの間で「アラブ人」意識が強まり、彼らの一部はアラブ民族主義者となった。彼らはトルコ人主導で衰退しつつあるイスラーム帝国から物理的にも思想的にも抜け出して近代化（あるいは西洋化）してこそ、植民地主義の拡大に対抗し、民族自決を達成し得ると考え、各地で独立を目指した。

オスマン帝国は、こうして内外から崩壊した。一方で、多くのアラブ民族主義運動は独立を実現できず、一旦は西洋諸国に潰されるか、その統制下におかれた。その結果、西欧諸国の都合で国境線が引かれると、今度は各地のアラブ人がそれぞれに異なる状況や文脈の中で、植民地支配に対する独立運動や対イスラエル闘争を展開した。やがて多くの国が独立した頃には、政治的な制度や価値観、天然資源の多寡や経済状況に格差が生じていた。この多様性、あるいは分断は、アラブ内部での深刻な利害対立を引き起こした。国家ごとに異なる記憶と歴史が形成され、新たな「国民意識」の発展を促した。例えばかつて「パレスチナ地方のアラブ・ムスリム」だった人びとは「パレスチナ地方のアラブ人」を経て、今度は「パレスチナ人」としての自覚を強めた。

一方、こうした中東の分断や混乱の原因を、信仰の形骸化と、正しいイスラーム的秩序の不在に見出し、それらの復興や刷新を訴えた人びともいた。彼らにとって民族主義はイスラーム世界にかけられた呪いであった。彼らのように、イスラーム的な価値を私的空間のみならず公的・政治的な場でも実現しようとする考え方は、本来はムスリムとして当然のことであった。しかしイスラーム世界にて外来のイデオロギーが覇権を握り、多くのムスリムの信仰が私事化した現代では、民族主義者や欧米の目線から見てそれは異質かつ脅威である。ゆえにそれは、世俗化したムスリムの信条と区別して「イスラーム主義」と呼ばれる場合がある。イスラーム主義者の大きな目標はイスラーム世界の再統一と単一の政治制度の確立、そしてイスラーム法の施行である。細かい考え方には違いがあるが、ムスリム同胞団やトルコの公正発展党、ハマースなどがこれに当てはまる。しかし彼らは、西洋的国民国家モデルや法体系を模倣した民族主義者や部族主義者が作り上げた体制とその既得権益を根本から脅かすものとみなされた。彼らの多くが反体制派として各地で弾圧され、その反動で過激化する組織も現れた。

またこのとき、イスラーム的秩序の回復を目指す手段は「ジハード」と呼ばれる。ジハードとは本来「努力」を意味するが、イスラーム法学用語としては「異教徒に対する戦い」とも理解される。よく誤解されるが、通説ではそれは敵対的な異教徒に対する防衛戦争として理解され、侵略戦争は禁じられており、武力のみならず経済的支援や弁論もジハードに含まれる。また、敵対的でない異教徒となら、平和裏の共存が是とされる。さらに、自分自身の欲望や邪心に打ち勝つことや、慈善活動や政治運動を通じて家庭や社会全体を改善することもジハードとみなされる。

ハマースによる武装闘争はどう理解できるだろうか。イスラーム法学の通説では、現代の国際法と同じように、非戦闘員に対する攻撃は禁じられる。ゆえに、ハマースが純然たる非戦闘員に対する無差別攻撃を行ったとすれば、それ自体はイスラーム法的にも違法といえるだろう。遺体の損壊や見せしめ行為についても同様である。

次に、ハマースはイスラエルの破壊とユダヤ人の絶滅を狙っているから、対話不可能であり殲滅するしかない、といった言説についてはどうか。まず先述の通り、イスラエルはイスラーム世界に対する軍事的・イデオロギー的侵略、およびパレスチナ人に対する差別や抑圧の主体であり、シオニズムはその根幹をなす差別的イデオロギーとみなせるため、その変容を求めるのは、規範的観点から言えば当然の理である。ハマースも、イスラエルやシオニズムを侵略者とみなし、自らを抵抗運動と定義している。これは抵抗権や自衛権の行使とも言い換えられ、したがってそれは「力による現状変更」や民族自決権の侵害を違法とみなす国際法の観点や、反植民地主義思想などの観点から、イスラエルやシオニズムを批判する論理とも軌を一にする。一方、その範囲を逸脱し、異教徒が単に異教徒であるから、という理由でその絶滅を説くのなら、それはイスラーム的ではない。しかし、ハマースの攻撃を見ただけで、対話および理解不能と断定するのは短絡的であり、（ムスリムはさておき）イスラームは本質的に暴力的・差別的だといった説明もまた、規範的観点から言えば誤解である。

将来的に、仮にイスラーム的秩序が回復されたとしても、ムスリムたちがどのような政治を運営するのかは不明である。しかし少なくとも規範的観点から言えば、それは近代化を否定するものではなく、イスラーム法体系は進化し続けるものであり、異教徒の安全と権利は保障される。ムスリム諸国は統一され、民族性に基づく差別と国境が廃され、人・モノ・金の移動が自由化された共栄圏となる。また正統カリフ時代の慣例を根拠に民主的な合議や選挙により政治が運営され、敵対的でない非イスラーム世界とは共存共栄が目指される。こうした原則がイスラーム国家の枠組みであり、それは必ずしも「我々」にとっての脅威ではない。

以上のように、イスラーム主義組織の実態を理解するには規範的観点を基準とすることが重要で、その逆、つまりムスリムの実態をもってイスラームを理解することは誤りである。そしてイスラーム主義者をはじめとする一部ムスリムにとっては、パレスチナ問題は単なる局地的・政治的な領土紛争ではなく、パレスチナを含むイスラーム世界全体が、世紀を超えた文明規模の侵略と分断に対する抵抗の最中にある、ということも理解する必要がある。イスラームが存在し続ける以上、「我々」もこうしたことを認識したうえで現状と将来を見据えなければ、パレスチナ問題の解決どころか、世界の平和と安定について考えることは極めて難しいだろう。

〈ハディ・ハーニ〉

エルサレム旧市街の「岩のドーム」。イスラームの伝承では預言者ムハンマドがこの岩を起点に昇天体験をしたとされる
撮影：ハディ・ハーニ

エルサレム旧市街のアル＝アクサー・モスク（正面）。イスラームの伝承ではここでの礼拝には大きな功徳があるとされる
撮影：ハディ・ハーニ

7 パレスチナと国際人道法

継続する占領と集団罰

2023年10月7日以降、イスラエル・ハマース間の戦闘状態の継続により、特にガザ地区の民間人において重大な人道危機が起きている。直近数ヶ月間におけるハマース側の行為に関して、10月7日の民間人の殺害、軍事目標以外へのミサイル攻撃、人質行為や、その他に軍事施設を病院などの民間施設に隣接して設置していることなどが国際人道法違反を構成するか否か問われている。一方で、イスラエル側の行為として、多くの民間施設への砲撃とそれに伴う生活基盤の破壊、攻囲による飢餓、複数の難民キャンプへの攻撃、ガザ北部から南部への民間人に対する移動指示、シファー病院など医療施設への攻撃なども国際人道法違反を問われている。

具体的に、国際人道法とは、「戦地にある軍隊の傷者及び病者の状態の改善に関する

1949年8月12日のジュネーヴ条約」(第一条約)、「海上にある軍隊の傷者、病者及び難船者の状態の改善に関する1949年8月12日のジュネーヴ条約」(第二条約)、「捕虜の待遇に関する1949年8月12日のジュネーヴ条約」(第三条約)、そして「戦時における文民の保護に関する1949年8月12日のジュネーヴ条約」(第四条約)を総称した1949年ジュネーヴ諸条約と1977年第1・第2追加議定書、そして慣習国際法を指す。仮に、パレスチナを国家と認め、ガザ地区の地位を占領状態と捉え、当該紛争を国家間同士の紛争(国際武力紛争)とみなすと、ジュネーヴ諸条約がフルに適用される。一方で、異なるアクターによっては本紛争を、国家対非国家主体(非国際武力紛争)と捉え、ジュネーヴ条約共通3条に加えて慣習国際人道法のみが適用される立場をとる国もある。

しかし、1967年以降の占領という文脈を抜きにして、10月7日以降の戦闘行為が国際法に違反するか否かを議論することは当該紛争の本質を見逃していると言わざるをえない。第三次中東戦争が終結した1967年から、イスラエルによるパレスチナ占領は開始された。ガザ地区においても事実上の占領が継続していたが、2005年にイスラエル軍が入植者とともにガザ地区からは撤退し、本格的な封鎖が始まった。国際法上の封鎖とは、海上封鎖を指し、一方の当事者が相手方の支配地域に対し、その領域を出入りする全船舶を止めることをいう。イスラエルによる陸海空の封鎖はガザ地区に壊滅的な被害を日常的にもたらすこととなった。もともと交易の中心地であったガザ地区が、「天井のない監獄」と呼ばれ、経済的基盤が破壊され、サラ・ロイのいう「反開発」状態に陥ることとなった。この間イスラエルの軍隊はガザ地区からすでに撤退しており、ガザ地区には実効的支配があるか否かが学説上争われていた。なぜなら、仮にイスラエルがガザ地区を実効支配しているならば、イスラエルの占領が継続していたとみなされるからである。占領状態にあることは、国際武力紛争の証左であり、ジュネーヴ諸条約がガザ地区にフルに適用されることとなる。実効支配はもともと占領地内における外国軍の駐留が条件であったものの、2012年に赤十字国際委員会（以下、ICRC）はすでに、軍駐留を占領の条件にはしておらず、現状に沿った法解釈が行われ始めている。

一方で、イスラエルの法解釈としては、ハマースはパレスチナ自治政府とは別の組織であり、ガザ地区の占領は2005年以来継続されていないと解釈し、2023年10月7日以降の戦闘行為はジュネーヴ条約共通3条と慣習国際法にのみ拘束されると解している。このように、パレスチナにおける国際人道法は主体によって解釈が分かれる複雑な様相を呈している。

さて、占領地の日常的な人権侵害は、2022年に277頁にものぼる、アムネスティ・インターナショナルの「イスラエルのパレスチナ人に対するアパルトヘイト」レポートにおいて、イスラエルのパレスチナ人に向けた弾圧を「アパルトヘイト」と断定し、その国際法違反が訴えられた。アパルトヘイトと題されるような、一つひとつの人権侵害行為のみならず、むしろ一連の組織的な政策を批判する傾向が近年高まっている。

そのひとつとして、本章では、長きにわたる組織的な占領統治体制を支えている犯罪行為としての、集団罰（Collective Punishment）をとりあげたい。イスラエルによるパレスチナ占領下の問題を分析するためには、個別の人権侵害のみに焦点を当てるのではなく、一連の組織的な人権侵害の流れを把握しなければならない。その統率のとれた集団的懲罰体制は、国際法によって集団罰として禁止されている。集団罰とは集団の一個人に科されるはずの制裁が、集団に属する他者にまで科される罪を指す。ＩＣＲＣは、集団罰を単なる刑事罰ではなく、制裁やハラスメントもしくは行政措置も指すとして、広範な行為を含めている。

２０２０年、国連人権理事会における、パレスチナ被占領地の人権状況に関する特別報告者マイケル・リンクによる報告書は、集団罰に関する法的な議論を広範に展開した。国連特別報告者とは、国連人権理事会に任命された個人資格の専門家を指す。同氏の報告書によると、パレスチナにおける集団罰に含まれる犯罪行為として、①懲罰的な家屋破壊、②ガザの封鎖、③遺体の返還拒否、④夜間外出禁止令と移動の自由の制限の４つの行為が含まれるとされた（A/HRC/44/60）。筆者もエルサレム滞在期間中（２０１９年）に旧市街でイスラエル兵士が数人のパレスチナ人に攻撃されたとの理由で、ダマスカス門やヘロデ門（ザーヒラ門）が封鎖され、エルサレム旧市街から一時外に出られなくなった経験をした。その際に傍にいたパレスチナ人に話を聞いたところ、諦めたように「しょっちゅうだよ」と、またか、というようなうんざりした顔をしていたことから、制限が日常的であることがうかがえた。現にエルサレムでは、このようチェックポイントの封鎖といった移動の自由の制限が数え切れないほど起きている。

な日常の継続的な人権侵害が集団罰の本質であることがこの言葉から読み取れる。

他にも筆者が訪れたイーサウィーヤ地区を事例として、集団罰を説明したい。イーサウィーヤ地区とは、東エルサレムに位置し、日常的にイスラエルから弾圧されることが多く、リトル・ガザとも称される。2019年6月、1人のパレスチナ人男性が、イスラエル兵士に向かって花火を打ち上げたとしてイスラエル兵士に射殺され、その集団罰として7ヶ月間で600人以上の恣意的な逮捕・拘禁が行われた。逮捕された中には、4歳の子どもも含まれていたという。その後射殺されたパレスチナ人男性の遺体の返還をイスラエル側に求めたところ、遺体返還費用の請求がされたこと、そして今後デモをしないことや武器を手放すことを約束させられたという。さらに事件後、パレスチナ人男性が家族と居住していた家に、イスラエル当局が深夜に踏み入り、家族への尋問が頻繁に行われており、父親も一時拘禁された。このように、罰が連座的に、家族やコミュニティにまで波及し、まさに「見せしめ」としての機能を果たしていることがわかる。

ここで、国際法における集団罰の位置づけを確認したい。集団罰は古くはアメリカ南北戦争やボーア戦争などで用いられ、第一次・第二次世界大戦においても、大量殺人や拷問、村落の破壊が連座的に行われてきた。1907年ハーグ陸戦条約50条では、「連座罰」といい、歴史的背景を受けてその禁止が規定された。第二次世界大戦後、国際人道法の重要な条約となる1949年ジュネーヴ第三条約（捕虜条約）、第四条約（文民条約）、1977年ジュネーヴ条約第1・第2追加議定書にて集団罰の禁止が規定された。ジュネーヴ第四条約33条は「被保護者は、自己が行わない違反行為のために罰せられることはない。集団に科する罰及びすべての脅迫又は恐かつによる措置は、禁止する」と規定している。しかし、集団罰の定義を含め、第二次世界大戦後はあまり注目されてこなかった。

1990年代に入ると、安全保障理事会決議によって設置された1994年のルワンダ国際刑事裁判所（以下、ICTR）、2002年のシエラレオネ特別法廷（以下、SCSL）のような国際刑事裁判の発展に伴い、集団罰は戦争犯罪であるか否かの議論が始まった。戦争犯罪とは、国際人道法の重大な違反であり（1949年ジュネーヴ条約147条）、2003年ハーグに設置された国際刑事裁判所（以下、ICC）で扱われる犯罪である。ICCの対象犯罪は、「国際社会全体にとっての関心事である最も重大な犯罪」とされ、集団殺害犯罪、人道に対する犯罪、戦争犯罪、侵略犯罪の4つの中核犯罪（コア・クライム）に限られる。2015年、パレスチナはオブザーバー国家としてICCに加盟し、2021年2月にはICCはガザ地区と、東エルサレムを含むヨルダン川西岸地区に管轄権が及ぶとの判断を下した。

しかし、集団罰はジュネーヴ条約に違反しているものの、ジュネーヴ条約・追加議定書の重大な違反行為ではなく、1998年の国際刑事裁判所規程（以下、ICC規程）の戦争犯罪には含まれていない。この理由としては、1949年の条約交渉の会議において、イタリアとソビエト代表が集団罰を重大な違反行為として条約に盛り込もうとしたものの、提案は潜在的に

「様々な程度の重大性（varying degrees of gravity）」の犯罪は重大な犯罪行為に含まれるべきではないとの理由で、却下された経緯がある（Final Record of the Diplomatic Conference of Geneva of 1949, Vol. II-B, p.118）。また、ＩＣＣ規程８条は網羅的であるにもかかわらず、集団罰を戦争犯罪として規定していない。ＩＣＣ規程準備委員会委員エイドリアン・ボスによると、戦争犯罪のリストから集団罰が除外されたのは、「『外国』領域の併合もしくは占領に関わった」国家によって提案されたことが理由の一端であるという（Andrew Clapham, Paola Gaeta, Marco Sassòli, Iris van der Heijden (eds.), *The 1949 Geneva Conventions: A Commentary*, Oxford University Press, 2015, p. 1167.）。

確かに、年数百回にものぼるチェックポイントの封鎖がパレスチナ被占領地で行われているなかで、その一度の行為が集団罰の違反になるかは疑問である。ただ、他方では、１９９４年ＩＣＴＲ規程、２００２年ＳＣＳＬ規程ともに集団罰を人道法上の重大な違反と規定し、多くの国内裁判所、国連の国際法委員会ですら集団罰を戦争犯罪として認識しており、ＩＣＲＣも集団罰を戦争犯罪であると述べている。確かに、家屋破壊や強制退去はそれ自体が戦争犯罪であり、個別の行為によって、訴追可能かもしれない。しかし、国際法学者シェーン・ダーシーが指摘する集団罰の「本質的な不公正さ」を捉えるには、改めて集団罰の組織的な使われ方を見直すべきだろう。詳細は拙稿（「パレスチナを巡る占領政策の一考察――集団的懲罰としての連座刑の視点から」『未来共創ジャーナル』）に譲ることとする。

翻って、国際社会からではなく、イスラエル国内における司法はどのような役割を果たしているのだろうか。イスラエル最高裁の司法判断としては、イスラエル行政府の行為を集団罰に該当しないとしている。他方で、イスラエル最高裁は家屋破壊や強制退去について、「均衡性テスト（Kretzmer, D, *The Occupation of Justice The Supreme Court of Israel and the Occupied Territories*, second edition, State University of New York Press, 2021, p. 417)」を用い、手続き的な段階を踏まなければ正当化しえないという判断を下すこともある。しかし、多くの家屋破壊や、強制退去が安全保障の名の下で断行されている現状がある。

集団罰に対する議論の高まりに始まった、パレスチナ側からの議論の巻き起こしは、私たちを含めた国際社会に、不処罰をいつまで見過ごすのか、と問いかけ続けている。２００８～２００９年（23日間）の武力衝突を受けゴールドストーン報告書では、すでにイスラエルによるガザ民間人への攻撃について詳細に調査の上で各行為の戦争犯罪の報告を行ってきた（A/HRC/S-9/L.1）。それから10年以上国際社会は意味あることをなしてはこなかった。２０２２年12月には、長期にわたる占領、パレスチナ人の自決権の侵害などについて国際司法裁判所へ勧告的意見を求める決議が、国連総会で採択され、勧告的意見が出される予定である。法の支配を根本価値に置くと主張するイスラエル、そして私たちを含めた国際社会は、当該事態に目を背けることは許されない。折しも、本稿執筆の中、２０２４年1月11日南アフリカが国際司法裁判所にイスラエルがガザ地区でジェノサイドを犯しているのではないかと訴えた裁判の審理も開始された。いまこそ国際社会は不公正に取り組む時が来たのである。〈島本奈央〉

8 イスラエルと虐殺の記憶

過剰防衛の歴史社会的背景

過剰な反撃

急襲による1000人以上の理不尽な犠牲に対して、それなりに大きな反応が起きることは不思議ではない。それにしても、2023年10月7日から3ヶ月のあいだに、大半が一般市民とみられる2万人以上を犠牲にし、街を破壊しつくす反応はやはり過剰だ。軍事的な合理性も見えにくい。

この日付に限定せずに一連の流れのなかで事態を捉えるならば、長年にわたる力での抑え込みの結果としてハマースのテロ攻撃が起きたことはほぼ明らかだ。同じ手段を強化することが解決になると考えることには、なおさら合理性が見えない。

ところが、こうした徹底ぶりにイスラエル国民の支持があることは各種世論調査からも明らかである。なぜなのか。

複合的な要因が考えられる。ひとつに、パレスチナ人のことを様々な意味で軽く見ているということはあるだろう。命を軽く見ているかもしれないし、話が通じない獰猛な人びとと見ているからこそ、乱暴な子どもに対して手を上げる大人のような振る舞いをするのかもしれない。例えばネタニヤフ首相は、オランダの首相に対して、「我々は野蛮に対する文明の闘いの最中です」と語った。ガザの住民がそれこそオランダ人であれば、少し違った対応をしたかもしれない。

だが、他方で、仮に相手がオランダ人であったとしても、遠からずな反応をしたかもしれない。そもそもなぜイスラエルが建国されたのかという経緯に照らすと、イスラエルの過剰さは、相手を見ての選択というよりも、内からあふれ出る情動によるものであることが見えてくる。

むろん、経緯がどうであれ、正当防衛の範囲を超えた虐殺が許容されるわけではない。だが、その情動を理解しないままでは、イスラエルを止めるための手立てを考えることはできない。つまるところ、それは国際社会としてこの問題をどのように考えるかという根幹にかかわるのである。

歴史的トラウマ

一言でいえば、それは「歴史的トラウマ」という言葉で理解される事態である。歴史的トラウマとは、集団でのトラウマ経験に発し、生涯にわたり、また世代を超えて受け継がれて蓄積される感情的・心理的な傷のことである（Maria Yellow Horse Brave Heart というネイティヴ・アメリカンの研究者の定義）。それは「犠牲者意識ナショナリズム」（林志弦）に容易に転嫁するし、脱文脈化され、無関係な事象と関連づけられることもある。

ホロコーストとハマースによる攻撃を結びつける言説は、10月7日以降頻繁に流れることになった。ハマースをナチスになぞらえたり、控えめなものでも、この時の被害を、「ホロコースト以来最悪のユダヤ人に対する虐殺」とする表現も見られたりした。

もっとも、これをそのまま歴史的トラウマと捉えることを訝る向きもあるだろう。ホロコーストやナチスについては誰もが絶対悪として認識しているから、事の重大さを伝えるには手っ取り早い喩えである。その政治的効果を狙って、本心ではホロコーストとは違うと思っていてもそのように安易に同一視している可能性も頭をよぎる。

だが、以下で見るようにイスラエルが建国され、発展していく歴史の延長で捉えるならば、むしろホロコーストの言及は必ずしもわざとらしいものではなく、自然にそのような発想が生まれることが推察される。

ポグロム

ユダヤ人が絶対的な被害者であるとする見立ては、ホロコースト以前からシオニズムにおいては広く共有されていた。シオニスト運動の契機は、1881年から1884年にかけて、ロシア帝国南西部、現在のウクライナ南部を中心に発生したポグロムである。ポグロムとは、主にユダヤ人に対する集団的な襲撃事件を指すロシア語だ。

ポグロムは起こるたびに規模を拡大していった。1881年のものでは40人以上が死亡したのに対して、1903年から6年にかけて、ポーランドにまで拡大して発生したポグロムでは2000人ほどが死亡した。そして、ロシア帝国が崩壊し、内戦が始まった1918年から1922年にかけては、ウクライナを中心に、6万から20万人のユダヤ人が死亡したといわれる。

パレスチナでは、1920年から翌年にかけて、初めてユダヤ人とアラブ人の集団的な衝突が発生した。興味深いのは、当時の『ハアレツ』などのヘブライ語紙が、このアラブ人からの襲撃のことを「ポグロム」と呼び、東欧で発生したのと同様のこととして捉えていることである。

アラブ人（パレスチナ人）からすれば、イギリス帝国とともに我が物顔で急に押し寄せてきたユダヤ人に対する抵抗の一環であり、東欧での理由のない暴力と同一視されるべきことではなかったはずだ。だが、ユダヤ人が常に被害者であるという意識は、すでに1920年代から、紛争の構造を歪めて理解する方向に働いてしまっていた。

闘うユダヤ人

ただし、シオニストは常に被害者モードになっていたわけではなかった。むしろ、シオニズムは、それまでのユダヤ史との決別を意味してもいた。シオニストの歴史観では、それまでのユダヤ史は無抵抗の歴史だった。迫害の嵐が過ぎ去るのをじっと耐え、強者に取り入って居場所を得てきた。だが、それはユダヤ人の精神を蝕み、反ユダヤ主義者にユダヤ人を蔑む口実を与えてしまう――。こうしたあり方を完全に転換しようと、シオニストはパレスチナに入植していった。

地元のアラブ農民やベドウィン（アラブの遊牧民）と衝突が起きるようになると、シオニストは自衛するようになる。特に衝突が本格化した1920年には、ハガナーという、イスラエル軍の前身となる自衛組織が結成された。これは主として、当時のシオニズムの主流派だった労働シオニズム（社会主義シオニズム）の系統のものだったが、反主流派の修正主義シオニズム（自由主義系の右派）の流れでも自衛組織が作られた。当時反ユダヤ主義が悪化し、ファシズムの雰囲気も広がっていたポーランドなどの東欧諸国で、そうした雰囲気と呼応しながらベタルと呼ばれるシオニスト青年組織が結成された。その一部はやがて地下軍事組織をパレスチナで展開していくことになる。

「ベタル」とは、「ヨセフ・トランペルドル名称ヘブライ青年同盟」の略である。トランペルドルとは、ロシアに生まれ、日露戦争時にロシア軍に従軍した際に左腕を失い、日本軍の捕虜となったのちに、シオニストとして1920年にパレスチナに渡った人物である。同年、ガリラヤ北部のテルハイでベドウィンと戦闘が起こった際に銃撃され、死亡した。「国〔土地〕のために死ぬのはよきかな」というのが最期の言葉だったとする伝説が広がり、それまでのユダヤ人の姿勢とは対極の、民族のために殉教するユダヤ人のモデルとして崇められていくことになった。

ホロコーストに対する当初の冷淡さ

ナチ政権が樹立され、ホロコーストの噂が伝わったとき、シオニスト指導部は座視していたわけではなかった。しかし、まだ立場の弱いシオニストにできることは、ナチ政権に対してユダヤ人の財産と引き換えにユダヤ人を引き渡してもらうぐらいだった。のちにシオニストはあのナチスとも取引をしたと揶揄される要因となり、結局600万人ものユダヤ人の虐殺を止められなかったこともあり、シオニスト指導部にとって、ホロコーストはあまり触れたくない事実となった。

何より、闘うユダヤ人を称揚したシオニストにとって、ホロコーストの犠牲者は、無抵抗に殺されていく羊のイメージで捉えられる存在だった。1945年の時点でヨーロッパに生き残ったユダヤ人のうち約33万人が1948年の建国後にパレスチナに渡り、当時のユダヤ人口の3分の1を構成するまでになった。だが彼らは、そのようなイスラエルの雰囲気のなかで、そもそも思い出したくもないホロコーストの記憶を語ることは少なかった。

イスラエルの公教育においても、ホロコーストはヨーロッパ史の一幕として紹介されるにとどまっていた。ホロコースト生存者のなかには、公教育でホロコーストの記憶を伝えることを働きかける者もいたが、教育省はそれを拒んだのだった。

初代首相ダヴィッド・ベングリオンはじめ、イスラエルの指導層は、イスラエルが「普通の国」になることに躍起となっていた。そのため、犠牲に対する同情や憐れみという特殊性のうえにイスラエルが立つことを嫌った。

ホロコーストの「国民の記憶」化

だが、ホロコーストはイスラエルにおいて、次第にユダヤ人の民族的アイデンティティの核のひとつに据えられるようになっていく。

最初のきっかけは、1961年に行われた「アイヒマン裁判」だった。ゲシュタポのユダヤ人移送局長官で、アウシュヴィッツでの虐殺に大きく関与したアドルフ・アイヒマンを、イスラエルの諜報機関モサドは潜伏先のアルゼンチンで捕らえ、イスラエルのフラッグシップ・エルアル航空で秘密裏にイスラエルまで移送したのだった。このモサドの執念自体がイスラエルの首脳部がホロコーストを忘れていなかったことを示している。

この裁判では100人を超えるホロコースト生存者が証言を行い、イスラエル中に、さらには全世界（のユダヤ人）にホロコーストの記憶を拡散することになった。そこでホロコーストを生き延びたユダヤ人の不屈さが示されると、武器を取って戦ったユダヤ人だけでなく、ナチスに従わなかったユダヤ人全般にも光が当てられ、ホロコーストの犠牲者が無抵抗であったとする言説は後退していくことになった。

イスラエルが奇襲攻撃された1973年の第四次中東戦争に際して、弱いディアスポラ／強いイスラエルという対比が揺らぎ、イスラエルのユダヤ人は、ホロコーストを自分事として感じるようになった。大勝したとはいえ、1967年にも戦争があったばかりだった。

そんななか、1977年にイスラエルで初めての政権交代が起こった。イスラエルが「普通の国」になることをひたすら目指した普遍志向の労働党政権に代わり、上記の修正主義シオニズムを源流に持つリクードが政権に就いた。そこから公教育にホロコーストが本格的に組み込まれるようになり、1981～82年の学年から、ホロコーストに関する科目が高校の必修単位となった。1988年より、イスラエルの高校では、主にポーランドにホロコーストの痕跡を辿る修学旅行が実施されることになる（イスラエル国防軍でも毎年将校が殲滅収容所を訪れている）。

このように、ホロコーストの記憶は、ユダヤ人のアイデンティティの重要な一要素として位置づけられるようになっていった。イスラエル建国後、中東戦争ゆえにユダヤ人への風当たりが強くなった中東・北アフリカから多くのユダヤ人が流入し、イスラエルのユダヤ人口の半分を構成するにいたっていた。彼らはもちろんホロコーストを経験していない。彼らをイスラエルに統合するためにも、出身にかかわりなく、ホロコーストをユダヤ人に固有の民族的記憶に昇華させる必要があったのだ。１９８５年の調査では、94％のヨーロッパ系（アシュケナジーム）のユダヤ人生徒だけでなく、92％の中東・北アフリカ系（ミズラヒーム）のユダヤ人生徒もホロコースト被害者と一体性を感じると答えている。

ヤドヴァシエム（エルサレムのホロコースト博物館）の、強制収容所への移送列車を模したモニュメント（Andrew Shiva［CC BY-SA 4.0］）

記憶の機能と国際社会

すでにポグロムの記憶に関して指摘した通り、被害者としての記憶は、自らが加害者になる局面への意識を弱める機能を持つ。ポグロムの記憶にさらに蓄積されたホロコーストの記憶についても同様か、あるいはそれ以上に、ユダヤ人は世界のなかで理由なく迫害される存在だとの認識とセットになりがちになっている。イスラエルの政策の結果と

入植地（アルフェイ・メナシェ）のフェンス越しに望むパレスチナ人の村（筆者撮影）

してではなく、もともとパレスチナ人、アラブ人はイスラエルを殲滅しようとしているから力で対抗するしかない、というのである。

もちろん、なかには、ホロコーストの経験ゆえに、自分自身が加害者になる局面に意識を向けるユダヤ人もいないわけではない。だが、多数派は被害者意識を前面に掲げがちであり、二度とホロコーストを起こさせないという戦闘モードに入ってしまう。

ホロコーストの記憶が虐殺を正当化してしまうのは皮肉な事態ではある。だが、その記憶を消し去るように、あるいはパレスチナ人の痛みに敏感になる方向に活用するように指図する権利が国際社会にあるだろうか。もしポグロムやホロコーストを止められていたら、あるいは起こった後に現在に至るまで、世界が一丸となってその補償と贖罪に真剣に取り組んでいたなら、ユダヤ人の被害者意識はもっと軽減されていたのではないか。

ホロコーストについては、主に西ドイツがイスラエルに対してまとめて一定の補償を行った。だが、ナチスの侵攻とセットだったとはいえ、アウシュヴィッツがあったポーランドをはじめ、ユダヤ人の大半はリトアニアやウクライナ、ルーマニアなど、東欧諸国において地元の協力者の助力で、半分はガス室外で虐殺された。だが反省や補償はほとんどなされていない。ポグロムにいたっては、すでに大部分が忘れられており、補償もまったく行われてこなかった。誰も助けなかったので、シオニスト組織をはじめ、ユダヤ人の相互扶助組織が発達したのだった。

世界がユダヤ人を助けなかった途方もない歴史のうえに現在のガザが立たされていることを、国際社会は今一度自覚しなければならない。それは、今起こっている虐殺を止め、その被害に対して率先して救援できるか、例えばまだ存在しない、こうした側面を長期的にケアしていく国際機関を作ることができるかに、今後の歴史がかかっているということでもある。

〈鶴見太郎〉

コラム1

レバノンの政治運動とパレスチナ

早川英明

2023年10月8日以降、レバノンの政治・武装組織であるヒズブッラーやレバノンのパレスチナ系武装組織とイスラエル軍が交戦している。本稿執筆時点で交戦は限定的なものにとどまっているが、イスラエル軍はヒズブッラーの戦闘員だけでなく、子どもを含む多くの民間人を殺害しているほか、白リン弾も使用している。国際移住機関（IOM）によれば、2024年1月時点で、南部国境沿いの住民7万6000人以上が避難を余儀なくされている。イスラエル側でも兵士だけでなく民間人がレバノン側の武装勢力により殺害され、北部国境沿いの住民も避難している。

南部レバノンがイスラエル軍の攻撃にさらされ、被害を受けるのは今回が初めてではなく、同じことが過去何度も繰り返されてきた。南部レバノンで起こっている暴力の歴史的背景を理解するためには、パレスチナ問題がレバノン政治において占めてきた位置について知る必要がある。1948年のイスラエル建国に伴い多くのパレスチナ人が難民としてレバノンに逃れてから、パレスチナ問題はレバノン政治においても対立の大きな争点となった。レバノンにはイスラーム教、キリスト教の多数の宗派が存在し、宗派の差異が様々な形で政治と結びつくが、パレスチナ問題もまた、レバノンにおいてはイスラーム教徒を中心とする政治勢力とキリスト教徒を中心とする政治勢力の間の対立と結びつくことになる。

特に、1960年代以降レバノン国内で活動し、70年には首都ベイルートに本部を移したパレスチナ解放機構（PLO）の存在は、レバノンの政治的緊張を高めることになった。PLOはレバノン国内からイスラエルに越境攻撃を行うようになり、反撃としてイスラエル軍も頻繁にレバノン領内を攻撃して大きな被害をもたらすようになった。レバノンの政治運動のうち、反帝国主義を唱えるアラブ民族主義者や左派はパレスチナの抵抗運動を支持し、連携するようになったが、それだけでなくイスラーム教徒の政治家たちもパレスチナ人への支持を表明した。これに対し、キリスト教徒を中心とする右派と呼ばれる勢力は、レバノン国家の主権が及ばず、またイスラエルの攻撃を呼び込むPLOの活動に反対した。ついには1975年にパレスチナ勢力やそれを支持する左派・民族主義勢力と右派勢力の衝突に端を発して15年間続く内戦が勃発した。

内戦中の1978年と82年には、PLOの排除を狙ったイスラエル軍がレバノンに大規模な軍事侵攻を行った。82年の侵攻の際には、南部レバノンを占領し、ベイルートまで軍を進めた。その結果、PLOはレバノンから撤退することとなった。イスラエルは共通の敵をもつ右派勢力と連携したほか、南部レバノンにキリスト教徒を中心に構成された傀儡民兵組織を設立し、占領に協力させた。82年のベイルート占領時には、パレスチナ難民キャンプであるサブラー・シャーティーラー難民キャンプで、イスラエル軍による包囲下で右派民兵組織の構成員が住民を虐殺した。イスラエル占領下では、抵抗する多くの人びとが拘束され、南部やイスラエルの収容所に入れられた。

レバノン南部ヒヤームでイスラエルの傀儡民兵組織が管理した収容所跡（筆者撮影）

占領に対するレバノン人自身による武装抵抗も展開され、イスラエルは1985年までに南部の大部分から撤退したが、国境付近は2000年まで占領が続いた。当初武装抵抗を主に組織していたのは共産党など左派勢力であったが、特に80年代後半以降抵抗組織として最も力を持つようになるのが、イランが深く関わる形で占領下で結成されたシーア派イスラーム政治運動ヒズブッラーである。

1990年の内戦終結後、諸民兵組織は武装解除されることになったが、イスラエルへの抵抗継続を理由にヒズブッラーは武装解除を免除され、占領が続く南部国境地帯で武装抵抗を継続した。これに対し、イスラエルは1993年と1996年の2回の侵攻を含む攻撃を行い、民間人も多く殺害した。2000年5月、イスラエル軍は一夜のうちに撤退し、占領に協力したレバノン人も復讐を恐れてイスラエルに逃れた。2006年には、イスラエルが再び大規模侵攻を行い、甚大な被害をもたらした。こうした被害は、イスラエルに抵抗するヒズブッラーへのレバノン国内外の支持を増加させた。ヒズブッラーは内戦後はレバノン議会に政党として参加するようになり、2011年以降は連立政権にも参加するなど、レバノン政治に大きな影響力を及ぼしている。シリア内戦勃発後はアサド政権側を支持し内戦に参戦している。

ヒズブッラーは、その幹部の多くがレバノンに拠点を置くハマースやイスラーム聖戦とも関係を深めていた。10月8日以降のヒズブッラーの攻撃もパレスチナ人との連帯を理由のひとつに掲げている。それに対し、内戦中パレスチナ勢力と対立した右派勢力は、レバノンを戦争に引きずり込むとしてヒズブッラーの行動を非難している。パレスチナ問題は今日に至るまでレバノン政治において重要な意味を持ち続けている。

コラム2

イスラエル南部のキブツ

宇田川彩

ガザ地区境界から7キロ圏内、カッサーム砲と迫撃砲の射程範囲に入る地区のことを、ヘブライ語で「オテフ・アザ」、ガザを取り囲む周辺地域と呼ぶ。中核都市としてスデロットとベエルシェバが含まれるが、居住地域の多くはキブツや、モシャヴで構成される。2023年10月にハマースの戦闘員が侵入し、多くの犠牲者を出したキブツ・ベエリやキブツ・ニル・オズも含まれる。これらの居住地は、今回に限らず2014年の大規模衝突など、ガザ地区からのロケット弾につねに備えてきた地域である。各家屋は地下にシェルターを備え、数秒から数分以内のロケット弾の飛来を知らせるアラーム（ヘブライ語で「赤色」を意味する「ツェバ・アドム」の音声が繰り返される）がしばしば鳴り響く。保育園や学校は、シェルターへ避難する時間をなくすために建屋全体を防護壁で覆う構造をしている。

イスラエルの人びとにとってキブツの魅力は、自然に囲まれ、都市部では不可能な平屋建ての広い家を持つことができ、行き交うほとんどの人が知り合いであるかのような大らかな住環境である。私が2019年にしばしば訪れた、ガザ地区の東端から3キロメートルに位置するキブツ・ヤド・モルデハイからは、夕刻を過ぎるとガザ地区の灯りを見ることができた。このキブツで生まれ育った60歳代の男性Iは、孤児として幼少時にキブツに引き取られて育った幼馴染のYと結婚し、家庭を築いた。彼らは庭園に何種類もの果樹を植え、季節の果物やハーブをふるまってくれた。彼らは「誰もが平和を望んでいると思う」と言いながら、ガザ地区について次のように語った。以前はガザ地区とアシュケロン（イスラエル南部、地中海沿岸の都市）の間にもバスが走っていたし、1979年の和平合意のあとに国境が開けたエジプトに旅行に行った時の感動は忘れることができない。ガザ地区からは、許可が下りた場合のみ地区を出てイスラエル内の病院で治療を受ける住民がいる。ユダヤ人の送迎ボランティアが彼らを乗せ、病院からの帰り道にこのキブツの特産品であるハチミツを買って帰るのだという。こうしたエピソードは、日本ではほとんど知られていない南部キブツの一側面である。

今でこそ緑豊かな理想郷と考えられるキブツだが、ネゲブ砂漠の北西端に位置し、西側をガザ地区と接するエシュコル地域（14のキブツを含む）は、元来水資源のない「砂漠」であった。1950年代から計画され、1964年に完成した「国家水運搬路」は、北部のガリラヤ湖からエシュコル地域をパイプラインやトンネルで直接結ぶ巨大プロジェクトであった。歴史家のヤエル・ゼルバベルが論じたように、国土の半分程を占めるネゲブ砂漠に出現した水と緑の土地は、イスラエル国家が夢見た理想郷そのものであった。

この「理想郷」が、裏を返せば国土防衛の最前線でもあったことを忘れてはならない。通常キブツの入り口はゲートで閉め切られ、外周は柵で囲われている。小さな島を作り、前線を防衛するというのがキブツのもうひとつの役割なのである。建国以前のパルマハ（戦闘部隊）の地下活動においても、メンバーは軍務を隠しながら農業活動を行っていた。建国後には、軍部から、ナハル（若い兵士で構成される部隊）が投入され、営農しつつ前線を防衛するというモデルを引き継いだ。ガザ地区からの攻撃により現在は南部キブツが注目されるが、シリアやヨルダンからの攻撃に対しては北部キブツも同様の位置づけにあった。2014年に行われたインタビュー調査（ゼエヴ・ドロリら）においては、こうした自己防衛イデオロギーの陰に、2014年のロケット弾攻撃下における生々しい実態も描かれている。中央政府やIDFから明確な指示が全くなく、生活物資も途絶えたまま「放置」されることや戦車によって踏み荒らされる耕地、兵士たちが使用するトイレやシャワーの掃除といった赤裸々な不満である。

キブツといえば、農業に基づいた生活共同体のかつてのイメージが日本では強いだろう。男女かかわらず日中は農場で働き、子どもたちは「子どもの家」で共同養育される。衣食住はすべて共有財である。伝統的にキブツの運営母体であった労働党（マパイ）への支持が高く、現在でも中道、左派支持者が多い。しかし、以上のようなキブツの伝統的構造は長く続いたわけではない。1977年に成立したリクードの右派政権では、キブツのバックボーンである労働党との連立という伝統的な構造が失われた。その後、1980年代の経済状況やインフレにより資金繰りが難しくなるとともに、農業セクターへの補助金打ち切りによってもキブツ経営は打撃をこうむった。1990年代から、キブツは自主裁量による経済改革を任されるようになり、農業以外にも独自の工場経営や観光化を図るキブツが増えた。2000年代までには、公共財の共有制度は終わり、労働者により異なる賃金が支払われるだけでなくキブツ外での労働も許されるようになった。キブツの中心に据えられる共同食堂や共同洗濯場などの設備は継続しているが、かつてのように労働の対価として無償ではなく、消費した分を支払うシステムになっている。したがって、キブツはかつてのようにイデオロギーや理想を共有する人びとの集まりではなくなり、上述のような環境や辺境地域に対する減税措置を目当てにした新来の住民のほうが多くなった。「見渡しても知らない人ばかり」と、古参のキブツメンバーはこぼしていたものである。

コラム3

イスラエル軍の徴兵制

澤口右樹

イスラエルは男女両性への徴兵制を持つ。18歳以上のイスラエル人のうち、男性は32ヶ月、女性は24ヶ月の兵役義務がある。ただし期間は階級・部隊によって異なる。例えば士官は48ヶ月、空軍パイロットは9年、女性であっても戦闘部隊は32ヶ月である。

徴兵には免除規定がある。心身の障がいという医学的要因だけでなく、妊娠・出産・子育てをしている女性、ユダヤ教超正統派、アラブ人といった特定の属性が免除対象である。

女性に関する免除規定は女性の徴兵と密接に関係する。1948年イスラエル建国時、周辺アラブ諸国に比して少ない人口を理由に、兵力確保のため女性は徴兵された。またシオニズム運動の部分的ジェンダー平等志向は、新国家防衛へ全市民の関与を促した。加えて人びとに軍事の重要性を認識させるという政策意図も、女性を徴兵する理由である。ただし軍事重視の社会規範は、男性を戦闘兵士と当然視する一方、女性の役割をケアとみなし、女性を後方支援部隊のみへ配置する施策を導いた。この規範はユダヤ人口、つまり将来の兵士の再生産こそ女性の国家貢献という社会通念も生み出した。結果、育児に関わる女性への兵役免除が策定された。2000年に戦闘職が解禁されても残る、一部の戦闘部隊からの女性排除はこのジェンダー規範による。

ユダヤ教超正統派への免除はホロコーストで壊滅した欧州のユダヤ教伝統の復活のため建国時に導入された。しかしこの免除規定は兵役法上女性のみを対象とする。別の法律により、男性は徴兵保留を免除年齢（26歳）まで行うことで免除される。この法律は最高裁から2012年に基本法に違反すると指摘されているが、度重なる選挙と長期間の連立交渉によって立法府が機能していなかったため、2023年現在特別に延長して適用されている。

アラブ人への免除はイスラエルで彼らが安全保障上の脅威であることに由来する。この中でも、イスラーム少数宗派ドゥルーズ教徒やムスリムの少数民族チェルケス人は徴兵義務がある。この制度的差異は、彼らをアラブ人ムスリムから分断する施策として機能している。他方、兵役義務のないムスリムの遊牧民ベドウィンの多くは、社会的地位上昇を目指し、志願して従軍している。

新兵の従軍部隊は4つの試験・検査で決定する。個人情報（家族構成や学歴など）を調査する面接、個人の資質を調査する面接、知的能力試験、医療・身体検査である。特に知的能力試験と医療・身体検査の点数が重要とされている。これらの点数が高ければ、士官、空軍パイロット、特殊部隊、サイバー部隊といった市民社会でキャリアを得やすい部隊へ従軍できる。

この選抜過程の内、特に知的能力試験は民族差別を助長してきた。2000年代まで、欧米出身ユダヤ人全体の毎年の平均点数に対し、中東・北アフリカ出身ユダヤ人の平均点は常に低かった。この理由に非欧米系を「非文明的」とみなすオリエンタリズムが指摘されている。「野蛮で暴力的」とされた彼らは、最前線の戦闘部隊に多く従軍する傾向にある。2005年ガザ地区撤退以降、ヨルダン川西岸地区やガザ周辺の任務での死傷者の78%を、彼らが集住する地域出身者が占めている。これは現代でも軍による民族差別の再生産を示唆している。

さらにアラブ人兵士は最前線の部隊でも特に占領地や東エルサレムでパレスチナ人と対峙する国境警備隊に配置されやすい。彼らのアラビア語能力だけでなく、国境警備隊が軍より格下で「暴力的」とされているためである。部隊の社会的地位の低さゆえ、彼らは市民生活でキャリアを得にくい。基本法でのアラビア語の地位低下などもあり、彼らの中から従軍が社会的地位上昇とは結びつかないことへの不満も出ている。

すべての退役兵のうち、男性は41~51歳まで、女性は26歳まで予備役義務がある。ただし予備役招集の有無は従軍部隊や社会情勢によって異なる。例えば戦闘部隊は動員されやすいが、後方支援部隊はされにくい。また女性への招集は稀である。さらに近年の予算削減傾向もあり、軍は予備役に支払う休業補償金を抑えるため、招集規模を縮小していた。

2023年10月7日以降、軍は32万人を予備役動員しているが、これは異例のことといえる。また予備役兵に対し、政府は90億シェケル（約3600億円）の支援金を用意した。この中には予備役兵への休業補償、育児補償、家族への補助金、住宅購入費補助、医療費補助などが含まれている。これまでの方針と異なり、徴兵期間延長も軍・政府内で議論されているなど、異例の状況は続く見込みである。

こうした変化はハマースの奇襲攻撃を察知できなかった軍の権威失墜と無関係ではない。責任を有する男性将兵への批判の一方、女性兵士のガザ周辺での活躍、監視任務での献身的な対応などを高く評価するメディアや軍広報媒体の言説が登場している。つまり男性兵士だけではなく、「高潔な女性兵士」を高く評価することで、軍は威信回復を図っている。また兵役を全国民の義務と強調するため、女性の徴兵期間延長、戦闘部隊での女性の増加も、今後の論点として挙げられている。この中には超正統派への兵役義務の適用も含まれている。

徴兵制はイスラエル社会と相互関係にある。ジェンダー差別や民族差別の助長や「良き国民」像の再定義など、軍の影響は大きい。では今後の社会情勢や戦争の趨勢は徴兵制や軍隊をどう変化させるのか。それはイスラエルが抱える問題との関係性から理解する必要があるだろう。

徴兵事務所前のバス停にいる超正統派と女性兵士たち（2024年2月14日、筆者撮影）

超正統派の街ブネイ・ブラクの一角
撮影：鶴見太郎

エルサレムのハル・ホマ
撮影：屋山久美子

Ⅱ 日常のパレスチナ／イスラエル

9 東エルサレムと人びとの日常

支配の侵食に抗うこと

「私たちは出ていかない」。2021年5月、東エルサレムのシェイフ・ジャッラーフ地区では、家を失う危機に直面したパレスチナ住民による草の根の闘争が行われていた。エルサレム旧市街から少し北に位置するこのコミュニティでは、1970年代頃からユダヤ人入植者グループによる入植活動が進み、これまでにパレスチナ人の数家族が家を奪われていた。入植者が住むようになった家には、その存在を示すようにイスラエルの国旗が掲げられている。

入植者グループはパレスチナ人家族が暮らす家と土地の所有権が自分たちにあることを主張して裁判を起こし、イスラエルの裁判所が家族に対して強制退去命令を出していた。住民たちはその決定に反対し、自分たちの家から不当に追放されることを拒否していたのである。この

運動は #Save Sheikh Jarrah（シェイフ・ジャッラーフを守れ）のハッシュタグとともに、パレスチナ各地でコミュニティの存続を守ろうとする動きと連動し、連帯は世界にも広がった。そしてガザは、イスラエルの空爆下にあった。

主流メディアが「イスラエル・パレスチナ紛争の緊張」や「衝突の激化」を伝えるなかで、パレスチナの若者たちは自らインタビューに答え、ものごとの表面的な部分ではなく、根本を見るよう訴えた。これはイスラエル人とパレスチナ人の「双方の対立」でも「住民間の係争」でもない。イスラエル政府主導の植民地化政策であり、ユダヤ人入植を通してこの地に暮らしてきたパレスチナ人を追放する民族浄化であると。

当時、「シェイフ・ジャッラーフはパレスチナの縮図である」との言葉が使われていたように、住む場所を追われるというシェイフ・ジャッラーフの住民の経験は、エルサレムをはじめ各地のパレスチナ人コミュニティが今も直面する共通した問題であるとともに、パレスチナの歴史とも重なる。パレスチナの人びとは、イスラエルの建国に至ったパレスチナ社会の破壊と追放・離散の出来事を、アラビア語で大災厄を意味する「ナクバ」と呼んでいる。そのナクバが、現在でも続いているのだと人びとは伝えている。

イスラエルはパレスチナ社会を民族浄化し、その上に新たな居住地を築いてできた入植者植民地国家である。それを推し進めたのは、19世紀ヨーロッパで生まれたシオニズムという思想である。シオニズムはパレスチナの地に「ユダヤ人のための」国を作ることを目指し、土地の購入、入植、収奪、追放によって、そこに暮らしていた「非ユダヤ人」であるパレスチナ人の社会を排除しながら、できるだけ多くの土地を手にしていった。

1948年以降、エルサレムの西側はイスラエルが支配し、東側はヨルダン川西岸地区とあわせてヨルダンの統治下におかれた。今日、東エルサレムとは一般的に、エルサレム旧市街から東に位置するパレスチナ人地区を指して呼ばれる。旧市街から西にはユダヤ人地区が広がる。しかし、地元パレスチナの人びとがエルサレムを東と西に分けて呼ぶことは少ない。人びとはその街をアラビア語で「聖なるもの」を意味する「アル＝クドゥス」と呼び、その地に暮らす人びとは「エルサレム出身者」を意味する「マクディスィーン」と呼ばれる。

1967年の戦争でイスラエルは支配を拡大させ、エルサレムを自国の領土として併合し、西岸とガザを占領した。西エルサレムとあわせてイスラエルに組み込まれた東エルサレムは、イスラエルの行政管轄下に置かれ、同国の法律が適用された。国際法はこれを認めず、東エルサレムはイスラエルの占領下にある。併合を正当化するために東エルサレムのパレスチナ人には「居住権」が与えられたが、今もエルサレムではパレスチナの国旗を含めた文化的アイデンティティを表現することは難しい。1980年には、東西エルサレムを統一したイスラエルの首都とする基本法も制定された。

2000年代に建設され始めた隔離壁によって、東エルサレムはそれまでつながっていた西岸のパレスチナ社会とも切り離され、イスラエル市場への経済的な依存も余儀なくされている。

パレスチナ社会で話されるアラビア語のほかにも、イスラエル社会で必須のヘブライ語ができた方が仕事や生活における選択肢が少しでも広がるかもしれないとの思いから、語学コースに通う人びとや、ヘブライ大学への進学を考える学生も少なくない。

しかし、エルサレム市行政は1967年の併合以降、東エルサレムのパレスチナ人の土地を接収してユダヤ人入植地や道路を建設し、パレスチナ人を差別・抑圧する様々な人種主義政策（アパルトヘイト政策）を用いながら、生活空間への支配の侵食と排除を進めている。そこには、なるべく多くの土地に人口の上でもユダヤ人多数、権利の上でもユダヤ人優位の支配体制を確立させ、そこからパレスチナ人人口を減らそうとしてきた、イスラエル建国の過程で行われた暴力と同じロジックがある。

それは具体的にどのように行われているのか。東エルサレムのパレスチナ人が持つ「居住権」は、イスラエル市民が持つ「市民権」とは異なり、一定の条件を満たさなければイスラエル内務省によってはく奪される可能性のある不安定なものである。住まいを維持し、エルサレムでの生活を続けるためには、エルサレムに「生活の中心」があることを証明しなければならず、住民税や公共料金の支払い証明、住所登録、通学証明、給料支払いなどの提出が課されている。そのため、西岸で仕事を見つけたり、西岸出身者と結婚して住まいを移したり、海外留学や移住などの機会によってエルサレムから長期間離れる場合には、居住権を失う不安がつきまとう。

居住権の制度がパレスチナ人の生活範囲をエルサレムに求める一方で、パレスチナ人が実際に暮らせる土地や開発が許される区域は接収によって限りなく制限されている。家族が増えて新しい家を作るにも今ある家を増築するにも建設許可証の申請が求められるが、そのほとんどは許可されない。また、1967年の併合以前からある建物の多くもそうした許可証を持たない。許可証がない家は「違法建築」とみなされ、家屋破壊の対象となる。家主は「罰金」を支払い続けることで家を保っているが、それでもある日突然、破壊命令が出されて壊されることもある。

私がエルサレムのイーサウィーヤ村に滞在していた頃、お世話になっていた人の家が破壊された。外がまだ暗い早朝に市役所の業者がやってきて、今から30分で必要なものを持って出ろと言われたという。外が明るくなった頃になって、ブルドーザー数台が家を壊していった。半壊状態で残った家の外には、黒いごみ袋に詰められた家族の持ち物が並んでいた。破壊にかかる費用は後日、家主に請求される。そうした経済的負担や、家財だけでなく生活そのものを壊される精神的苦痛から自ら家を解体する住人もいる。

パレスチナ人の社会学者であるナデラ・シャルホーブ＝ケヴォーキアンは自著のなかで、自宅を破壊されたエルサレムの女性たちとの会話を記している（Nadera Shalhoub-Kevorkian, *Security theology, surveillance and the politics of fear* [Cambridge University Press, 2015]）。そのなかのある女性は、「ナクバウーナー」、つまり「彼ら（イスラエル）は私たちにナクバをもたらした」という言葉を繰り返し口にしたという。故郷喪失を表すナクバという名詞は、「苦痛、困難をもたらす」という動詞でもある。この女性は、いつ日常が侵害され、家が破壊されるかわからない中で、夜も普段着のままで寝るようになっていた。占領下のエルサレムでは、パレスチナ人の歴史を象徴するナクバが、現在進行形のものとして続いている。

冒頭のシェイフ・ジャッラーフの闘争もそのひとつである。1948年のナクバによって避難を余儀なくされたパレスチナ人が所有していた土地や家などの財産は、イスラエル建国後、不在者財産管理法（1950年）の下で所有者不在とみなされイスラエル政府によって没収された。パレスチナ人がイスラエル建国以前に住んでいた家を取り戻すことはできない。その一方で、ユダヤ人がイスラエル建国以前にエルサレムに所有していた土地や家については、入植者グループなどの代理人であっても、家の所有証明を裁判所に提出して所有権を主張できる仕組みがある。一度裁判に持ち込まれると、パレスチナ人家族は長い法廷闘争に巻き込まれ、強制退去を迫られながら日々を過ごすことになる。

入植者グループによる活動は、シェイフ・ジャッラーフや旧市街、その南に広がるシルワーン地区などの宗教的に重要とされる場所で盛んである。シルワーンでは、聖書に記された古代のユダヤの街があるという理由から遺跡の発掘作業が行われ、地上ではその史跡公園を作る計画がパレスチナ住民の安住を脅かす。聖書やユダヤ史とのつながりを求める発掘は、岩のドームやアル＝アクサー・モスクを擁する旧市街のイスラームの聖地、ハラム・アッ＝シャリーフ（ユダヤ教では神殿の丘）の地下でも行われてきた。キリスト教、イスラームを含む文明が重なり

エルサレム旧市街ダマスカス門からの街並み（2017年4月、筆者撮影）

育まれてきたエルサレムの歴史と精神文化の中から、ユダヤの物語だけを具現化し、それ以外を消していく。それは、ユダヤ教の信仰をシオニズムのイデオロギーに利用しながら、エルサレム全体を「ユダヤ化」「イスラエル化」していく手段のひとつである。有名な「嘆きの壁」の前の広場は、１９６７年に東エルサレムが占領されるまでは「マガーリバ地区」と呼ばれるパレスチナ人の居住地であった。直後に家は壊され、更地となり、住民の多くは、エルサレムの北にあるシュアファート難民キャンプに移っていった。

エルサレムの「ユダヤ化」に伴いパレスチナ人の住める場所をなくしていく政策は、「サイレント・デポーテーション（静かな追放）」とも呼ばれてきた。人びとを土地から引き剝がす民族浄化政策でありながら、じわじわと生活空間を侵食しながら社会や人びとの選択肢を狭め、国内法によって淡々と執行されていくからである。しかし、シルワーンに住む女性は、「現状はもはや静かでも何でもなく、自分たちを追い出したい意図は明確である」と話す。そしてそれは、一部の強硬な入植活動にのみ代表されているのではなく、入植者グループ、警察と軍、市行政と政府、司法が組織的に行う追放である。

パレスチナ人の住民が追放に抵抗し、エルサレムにおける自らの存在とアイデンティティを表現することは、ユダヤ人多数の人口バランスを維持する上でのセキュリティ・リスクと見なされる。そこでは大人も子どもも関係なく、これから生まれてくる個人の存在さえも脅威と見なされる。観光地として訪れる人も多い旧市街は、エルサレムの中でも活気のある賑やかな場所である。しかし、通行門や路上にはイスラエル兵士が駐留し、パレスチナ人の若者の身体チェックをランダムに行う。頭上には無数の監視カメラが住人の行動を捉え、ときにはパレスチナ人の家に向けて設置されている。日常の監視から、逮捕・拘禁、家屋の破壊、追放、居住権の維持に至るまで、気の休まることのない生活がある。

シェイフ・ジャッラーフの住民運動に連帯する街頭抗議で用いられた言葉のなかに、「マジダルカルーム（イスラエル領内／48年占領地のパレスチナ人の町）の子どもたちと、ガザの子どもたちが一緒にエルサレムで遊べる、その日のために」というものがあった。今、ガザで起きているジェノサイドという究極的な民族浄化を前に、その未来を想うことは容易ではない。しかし、未来への想像を喪失させることこそ暴力の目的のひとつだろう。パレスチナ人の歴史家マハ・ナッサールが述べるように、世界各地で叫ばれるようになった「川から海へ　パレスチナは自由になる」という言葉には、植民地主義によって持ち込まれた分断を拒否するとともに、パレスチナの人びとの故郷とのつながりを表す意味が込められているのである（Al-Shabaka, "'From the river to the sea, Palestine will be free,' with Maha Nassar." November 30, 2023）。

〈南部真喜子〉

10 西エルサレムの人びとと生活

弦の橋が映し出す街の姿

エルサレムの西側、西エルサレムの玄関口には、「弦の橋（ゲシェル・ハ・メイタリーム）」という66本のケーブルと塔で支えられる高さ118メートルの白い斜張橋が聳《そび》え立つ。橋の上を走るのは2011年に開通した路面電車。橋の下は、数車線の幹線道路が複雑に絡み合う交差点で、バスや車のエンジン音が絶え間なく聞こえる。周辺は、公共交通機関の要所で、高速鉄道、中央バスセンターなどが揃う。玄関口のバス停はイスラエルで最も混雑する場として知られ、Tシャツ姿の老若男女、黒装束に顎鬚《あごひげ》のユダヤ教徒、地味色のロングスカートの女学生たち、軍服の兵士たち、キッパを被った青年たちがごった返しでバスを待つ。日没後、橋はライトアップされ、ユダヤ人の年中行事やアクチュアルな事件を喚起する期間限定の光のショーが繰り返される。２０２４年1月、イスラエル・ハマース戦争渦中、イスラエルの国旗が照らし出されている。この橋を巡っては、建設当初、「現代エルサレムの象徴となる橋だ」と推進派が唱える一方、「歴史ある石の街、聖都に合わない産物だ」、「建設費と維持費が莫大すぎる」など批判も多く、賛否両論が渦巻いた。だが、建ってしまえば、批判も立ち消え、推進派の狙い通り、スペインの建築技師カラトラバによるこの橋は西エルサレムのランドマークとして定着した。エルサレムの人びとの「今」を映し出す場のひとつでもある。

弦の橋（筆者撮影）

　この橋から東南の方向に目抜き通りのヤッフォ通りが伸び、路面電車で5駅、歩いて30分ほどで旧市街の城壁に突き当たる。西エルサレムの歴史は、このヤッフォ通り、そして19世紀後半に旧市街北西側の城壁の外に築かれた地区の設立から始まった。英国ユダヤ人のモンティフィオーレが設立したユダヤ人居住区ミシュケノット・シェアナニーム地区（１８６０年設立）、メアシェアリーム地区（１８７４年設立）、マハネ・イェフダ市場（１８８７年設立）、その周辺のナハラオット諸地区（19世紀末から20世紀初頭に設立）などが挙げられる。旧市街から連続する景観を維持し、中東風の古きエ

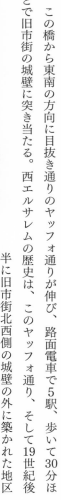

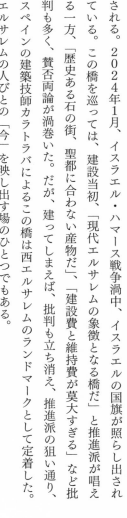

ルサレムの雰囲気が感じられるところだ。これらの地区には、住居費の高騰や窮屈な旧市街の生活から脱出してきたスラファディームやアシュケナジーム、聖地で一生を終えたいとやってきた東欧出身のアシュケナジームや中東地域出身のミズラヒームが住みつき、出身コミュニティの信仰のかたちや伝統を守りながら新しい生活の場を築いていった。また、ユダヤ人だけでなく、欧米のキリスト教徒が住む地区、アラブ人居住区も築かれた。城壁からほど近いムスララ地区（1889年頃設立）には富裕なムスリムの名士家族が、中南部のカタモン地区（1881年設立）にはアラブ人キリスト教徒の知識人層などが住んだ。西エルサレムの黎明期（オスマン帝国時代後期からイギリス委任統治時）、新市街地はユダヤ人とアラブ人が棲み分けをしながら混住するところだった。

1948年の第一次中東戦争後、エルサレムは分割された。停戦ラインより西側はイスラエルが統治する西エルサレム、旧市街を含む東側はヨルダンの統治に入り東エルサレムとなった。東エルサレムや旧市街に住むユダヤ人たちは追放され西エルサレムへ、西エルサレムの市街地や周辺の村に住むアラブ人たちは東エルサレムや周辺アラブ諸国に避難や退去を余儀なくされた。イスラエルの独立に伴い、当時エルサレム市の郊外にあったユダヤ人自治区も合併し、ユダヤ人の西エルサレム市が誕生する。イスラエル政府は首都機能をテルアビブから西エルサレムに移し、1950年、ここをイスラエルの「首都」と定めた。さらに、1967年の第三次中東戦争後、イスラエルはヨルダン領の東エルサレムを占領し、1980年「統一されたエルサレムはイスラエルの不可分かつ永遠の首都である」と宣言した（日本を含む国際社会の多くはエルサレムがイスラエルの首都であることを認めていない）。西エルサレムは併合された東エルサレムとともにひとつのエルサレム市として管轄され、「ユダヤ人国家」の「首都」の役割を担い、尽きることのない問題を抱えることになる。

エルサレム政策研究所の２０２３年の報告書によれば、２０２１年のエルサレム市の総人口は、96万６０００人である。西エルサレムのユダヤ人の人口は35万４０００人、対してアラブ人は５０００人、東エルサレムに関しては、アラブ人の人口が37万１０００人に対してユダヤ人の人口は23万７０００人である。１９６７年以降、イスラエルによるユダヤ人居住区（入植地）の建設が続く東エルサレムでは、ユダヤ人の人口が増え、アラブ人とユダヤ人がまだらに住む地域となった。西エルサレムは、アラブ人居住者がわずかで、１９４８年以降のユダヤ人居住区の特性を残す。東エルサレムが抱える土地の主権や政治的な問題を見聞きすることはあまりない。

エルサレムのユダヤ人住民の人口構成で際立ってい

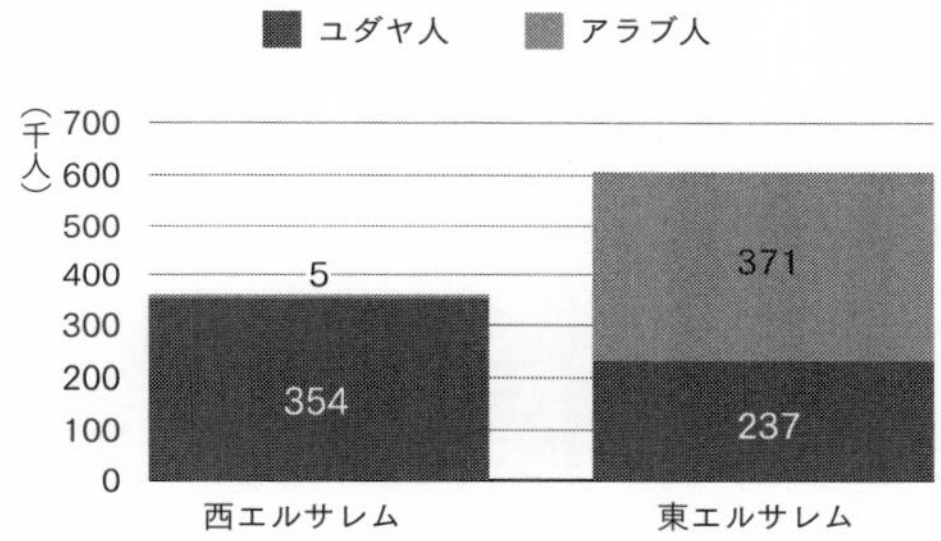

図１：東西エルサレムの人口分布 2021

出所：Geographical Distribution and Population Group, 2021

るのは、宗教的なユダヤ人、特にユダヤ教の戒律を守り、厳格な信仰生活を送る超正統派の占める割合である。同報告書では、エルサレムの20歳以上のユダヤ人のうち、自分が超正統派に属すと答えた者は35％、正統派は20％、伝統派が25％、非宗教・世俗派が19％だった。

宗教層がユダヤ人の人口の80％にまで及ぶエルサレム、それに準ずる西エルサレムは、イスラエルの中でも、ユダヤ教の戒律や宗教習慣が最も機能し、社会生活に強く影響を及ぼしている都市だと言える。安息日に公共交通機関が全面的にストップするのはもちろんだが、週日は渋滞ばかりの幹線道路も閑散とする。また、ユダヤの食事規定「カシュルート」についても同じ状況だ。西エルサレムで、ラビ（ユダヤ教指導者）の認定書がないレストランは稀で、「グラット・カシェル」というワンランク上のカシュルートを提示するところも少なくない。ユダヤ教の戒律を順守する宗教層にとっては、個人的にも社会的にも、ユダヤ教徒としての生活を何処よりも全うできるところである。世俗系のユダヤ人や非ユダヤ人は、ユダヤ教の戒律や習慣と折り合いをつけながら、個人レベルの自由な生活を守るための柔軟性と工夫が求められる。

西エルサレムは30以上の地区に分かれている。それぞれの地区には、宗教的背景、出身コミュニティ、あるいは社会経済レベルが同じか近い人びとが寄り添って暮らす。これは、西エルサレムの黎明期から基本的に変わらない。例えば、メアシェアリーム地区では、黒い帽子に黒いフロックコートの装いで知られるアシュケナジの超正統派の人びとが、現代生活とは一線を画した生活を営む。マハネ・イェフダ市場に近いナハラオット地区は、長年スファラディーム及

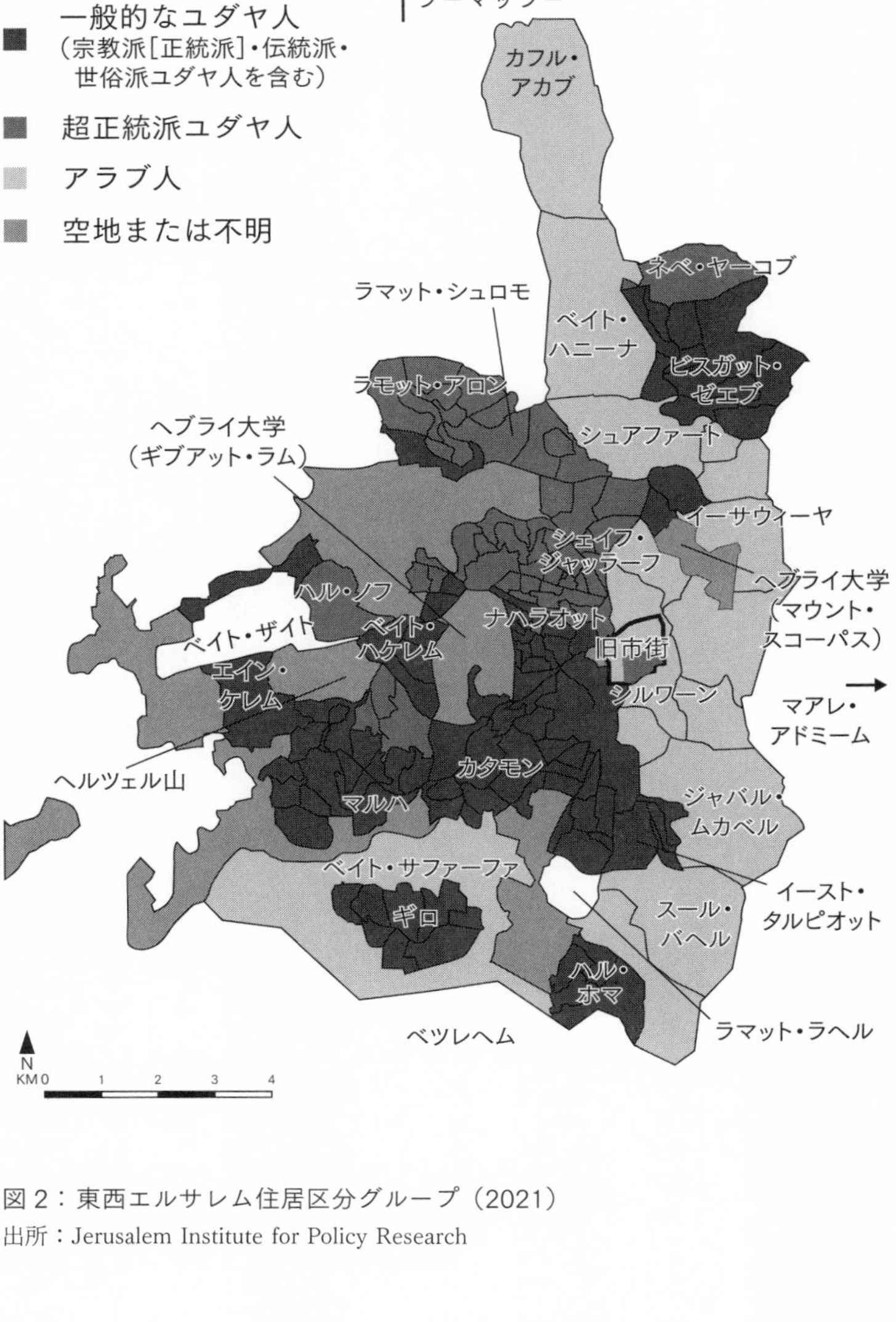

図２：東西エルサレム住居区分グループ（2021）
出所：Jerusalem Institute for Policy Research

びミズラヒームの庶民的な地区で、狭い街路のあちこちにあるシナゴーグから中東風の旋律に乗る祈りの声が聞こえてくる。最近は、この地区のアパートを借りて住む学生や若者が多い。エルサレム南西に位置するベイト・ハケレム地区（1920年設立）は、世俗派アシュケナジのインテリ層が集まる住居区として知られ、宗教色はほとんど感じられない。地区内を歩けば、犬を連れて散歩する夫婦、スポーツウェアでウォーキングする男女、アジア系ケアワーカーに車椅子を押してもらう老人とすれ違う。しかし、イスラエルでは、近年、若年で結婚し、子沢山で知られる超正統派の人口が増え続けており、西エルサレムでも、かつては世俗派、あるいは世俗派と伝統派・正統派が混住していた地区がじわじわと超正統派の地区に塗り変わってきている。社会生活の隅々まで戒律を適用しようとする超正統派の数家族が地区の一角に移り住むと、世俗派や伝統派の家族の居心地は悪くなる。彼らの多くは、エルサレム郊外の諸都市に移っていく。世俗派のエルサレムからの流出、特に若年層の流出は西エルサレム及びエルサレム市が抱える深刻な問題のひとつだ。

各地区に縄張りを確保するように暮らす西エルサレムのユダヤ人たちだが、同時に、自分と異なる宗教層に属すユダヤ人たち、東エルサレムのアラブ人たち、アジア系外国人労働者たちと日々、様々な場で出会う。例えば、スーパーでは、入り口でロシア語話者の年配のガードマンのチェックを受け、肉コーナーで東エルサレムのアラブ人に肉を切ってもらい、ミズラヒのおじさんから焼きたてのパンを取ってもらう。レジでは、スカーフで頭を覆った超正統派の女性の前に品物を並べていく。また西エルサレムにある2つの大きなショッピングモールも、混住都市エルサレムを肌で感じられる場所だ。ユダヤ暦の祭日前は、正統派から世俗派まで子ども連れの買い物客で賑わう。イスラームのラマダーンや犠牲祭が近づくと、両手にいくつもの買い物袋を下げているスカーフ姿の姉妹や家族連れの多くのムスリムたちがカフェで一息つく姿が見られる。「経済を軸として統一されたエルサレム市か」と感じるのは筆者だけではないだろう。

ユダヤ人は安息日（金曜日の日没から土曜日の日没まで）と週日を分けて、メリハリの利いた一週間を過ごす。安息日は、宗教層にとってはシナゴーグでの祈りが中心の聖なる日、世俗派にとってはリフレッシュ兼お休みの日だ。だが、西エルサレムでは、宗教層も世俗派も金曜日の夜は、家族と晩餐を共にするのが普通だ。映画館やカフェなど街に繰り出すのは、「安息日明けの夜」というのがエルサレム流の週末だ。宗教層にとっても世俗派にとっても「安息日」が新しい週へエネルギーを蓄える日であることは同じだ。

西エルサレムの人びとの生活に常に付きまとう暗い影――治安問題――についても触れるべきだろう。西エルサレムでは、東エルサレムに比べて政治的な治安問題やアラブ系住民とイスラエル当局や警察との抗争が日々の生活に表面化する機会は少ない。だが、何が起こるかわからないという空気は常にくすぶっている。

2023年10月7日、平穏な安息日（土曜日）の朝は、サイレンの音によって破られた。慰

人質解放を求めて行進する若者たち（2023年12月28日、「弦の橋」から現地コミュニティのSNSを通じて筆者に送られたもの）

霊式や安息日の始まりに鳴る単音のサイレンとは異なる、半音階で不気味に上り下りする空襲警報だ。かつて「エルサレムがミサイル攻撃されることはないよ。『岩のドーム』が守っているからね（「イスラーム諸国が聖地のあるエルサレムを攻撃することはないから心配するな」という意）」という冗談めいたジョークを聞かされたものだが、２０１１年頃からエルサレムもガザからのロケット弾攻撃にさらされるようになった。警報が続く中、筆者も家族と速やかに共同住宅のビルの階下にあるシェルターへ避難した。ドンという落下の音。シェルターではお互いパジャマ姿の隣人たちと待機し、ホーム・フロントのアプリやサイトのニュースで落下先や状況を確認し合う。イスラエルの南部でハマースの越境攻撃について知るのはそれからかなり時間が経ってからだった。

　ただ、エルサレムのユダヤ人にとって、より身近な恐怖は、やはりテロ事件である。そして「やはり」それは11月30日の朝にも起きた。戦闘休止期間1日延期が合意された直後のことだ。場所は、ラッシュで混み合う「弦の橋」から近いバス停で、1年前にもテロ事件が起こった場所だ。西エルサレムに長年住んでいると、不穏な事件を感知する勘のようなものがつくが、救急車のサイレンが二重、三重に重なって鳴り続き、5分経っても止まらない時は何かある。「東エルサレム出身のハマースメンバーの兄弟による発砲テロ事件。イスラエル人4人が死亡。非番の兵士と武器を所有していた民間人が、テロ犯を殺害。その際、兵士が、民間人をテロ犯だと間違い、民間人を射殺する」という皮肉で悲劇的なテロ事件だった。そして、数時間も経たないうち、通行止めになっていたテロ現場は、エルサレムで一番混み合う場に戻った。何があってもできるかぎり、「日常を続けること」。これが西エルサレムの人びとの信条であり、生き続ける術である。

「弦の橋」の周辺は、現在「エルサレムゲートウェイ」という再開発が進行している。路面電車の新しい路線も建設が進んでおり、いずれこの玄関口から東西のエルサレムが結ばれていく。イスラエル政府やエルサレム市にとって西エルサレムの開発はエルサレムの未来を掌握する勝利への道なのであろう。西エルサレムの人びとは、この波に乗りつつ、それぞれがそれぞれの日常を続ける。時に、政府の政策や戦争の行方に対して、疑問を持ち、抗議する者はこの「弦の橋」に集まる。抗議者たちに抗議する派も集まる。西エルサレムの人びとにとって政治にコミットすることも日常で、「弦の橋」はデモや行進の出発地点でもある。

〈屋山久美子〉

11 イスラエル国籍のパレスチナ人

「1948年のアラブ人」の日常

私は、イスラエル国籍を持つパレスチナ人です。「母国」イスラエルにとっては敵、「仲間」のアラブ人にとっては「裏切り者」の存在であることを意味する、この世界でもっとも理解されないグループの人間の一人です。

イスラエル国籍を持つパレスチナ人は「1948年のアラブ人」と呼ばれます。1948年の戦争でいわゆる「イスラエル」ができたときに、周辺の国々でパレスチナ難民とならず、「イスラエル」に留まることになったアラブ人を指します。イスラエル市民として暮らし、イスラエルのパスポートを持っています。多くの方にとっては意外かもしれませんが、イスラエルにはユダヤ人だけではなく、アラブ人も暮らしています。法律でユダヤ人は兵役の義務を負いますが、私たちは前の世代の努力のお陰で兵役がありません（ドゥルーズとベドウィンを除きます）。私は、小学校はムスリムがマジョリティを占める公立学校で、中高はクリスチャンの学校で、大学はユダヤの公立大学で学びました。これは珍しい話ではなく、同じような経験を持つ人が多くいます。

このようなアラブ人は、イスラエル内でユダヤ人と交流する一方で、ヨルダン川西岸側に住むパレスチナ人とも交流の機会（ビジネスや大学での勉強など）があります。ただ、日常的に言えば、1948年のアラブ人とユダヤ人との交流の機会のほうが多いです。

私のようなイスラエルに住むアラブ人にとって、答えに窮してしまうのは「どこの人ですか？」と質問された時です。私の答えによっては、相手の感情を逆なでしてしまったり、何を言っているのか訳がわからないという顔をされたりします。

私の経験から言うと、答え方によって相手の反応は3つにわかれます。例を挙げてみましょう。

1　「イスラエル」と答える

「ユダヤ系、またはシオニストだ」「裏切り者だ」と反応される

2　「パレスチナ」と答える

「イスラエルの敵」「ハマース支持者」と反応されるか、「本当のパレスチナ人では

ないのに、パレスチナだと偽称している」と理解される

3　「イスラエル国籍を持つパレスチナ人」や「1948年の人」と答える私が何を言っているのか理解されない。または「裏切り者」や「コラボレーター（イスラエル内通者）」と思われる

不愉快な思いをしないように、また無駄な言い争いを避けるためには、相手によって答えを変えなければいけません。しかし、必ず相手のバックグラウンドを事前に知ることはまず不可能です。とても面倒で、うんざりするので、時には「私は宇宙から来ました」とすら言いたくなります。

自分のアイデンティティに、私は葛藤を覚えます。アラビア語とヘブライ語ができて、両側の意見を知っています。イスラエル国籍があっても「イスラエル人」になりきれず、パレスチナの文化を引き継いでいるのに「本当のパレスチナ人」とは見なされないことも多くあります。また、イスラエル国家からは「国の敵」や「テロリスト」として扱われます。ただ、私にとって1948年の戦争が「ナクバ・災厄の戦争」か「独立戦争」のどちらかと聞かれれば、間違いなく前者だと答えるでしょう。

特に戦争が起こると、私のようなイスラエルに住むパレスチナ人は、言動に困難を抱えるこ

とになります。「表現の自由」の罠です。静かに、さも冷静を保っているように振る舞いますが、心の中では嵐のように感情が渦巻いています。自分や家族、友人を守りたいので、外見だけは静かにしているのです。

戦争が起こると、他にも困難が出てきます。ガザやレバノンからイスラエルに飛ばされたミサイルは、私がアラブ人だからといって命中しないというわけではありません。実際、2006年のレバノン戦争では、イスラエルのアラブ人の街にミサイルが落ちました。同じアラブ人なのに、私たちの存在は忘れられたかのようです。イスラエルに住むアラブ人の家には、シェルターがない家庭も多く、戦争が起きれば神様に無事を祈るしかありません。

また、イスラエルや、イスラエルを支援する企業に対する国際的なボイコット運動も問題です。マクドナルドがその一例です。ボイコットが行われると、対象企業は影響を受けるのですが、イスラエル国内のサービス業界では、アラブ人が多く雇われています。ボイコット運動の結果として、アラブ人労働者が失業してしまうことも起こり得るのです。なぜなら、イスラエル社会では、アラブ人は優先されず、重要な国民とは考えられていないからです。また、パレスチナからイスラエルに出稼ぎに来ている労働者の失業も増えて、経済的に苦しい状況になっています。

もしミサイルが命中せず、仕事も失わずに済んだとしても、日々不安がつきまといます。職場の雰囲気が悪くなり、同僚には疑いの目を向けられることすらあります。「あなたはどちらの味方？」と、いつ詰問が始まってもおかしくない状況です。

２０２３年10月7日は、私たちにとって、新たな悲劇の始まりでした。何を言うにも、何をするにも、困難がつきまといます。「停戦」や「平和」を願うことすら、難しいのです。たとえばＳＮＳで「停戦」や「平和」と書けば、逮捕される可能性すら出ています。私たちは、完全に口を閉ざされてしまいました。

平和を願うのは「愚か者」や「裏切り者」だと、イスラエルを支持する人からも、パレスチナを支持する人からも非難されます。また、どちらかの味方だとはっきり言わないことも、やはり批判されます。平和を願う者は、ともすればどっちつかず、中途半端な立場に見えるのかもしれません。しかし、1つの価値観を押し付けられる苦しさは、表現しがたいものです。私は戦争に巻き込まれているすべての人が安全で平和に暮らして欲しいとただ願っています。

１９４８年のアラブ人は、皆さんの想像よりもはるかに多様です。人数は少ないですが「シオニスト」もいますし、「ハマースのファン」もいます。また、完全に無関心を決め込んでいる人もいます。そして、私のような人、いまの出来事に関心を持ち、平和主義を貫こうとしている人もいます。ほかに有名な活動家も多いですが、大抵はなにかしらの政治団体やＮＧＯ等の後ろ盾を持っています。

私は、ハマースを支持しているわけでも、今のイスラエル政府に賛成しているわけでもありません。しかし、今回の出来事では、「あいつらは人間じゃない！」と、相手を悪魔化するような声があまりにも高まりました。私は、立場や属性に関係なく、人間の命より大切なものはないと思っています。10月7日に起きた出来事、そして戦争が続いていることは、とても受けいれがたいことです（ちなみに、こういった言葉で「裏切り者」扱いされます）。

では、これからどうすればいいのでしょう。正直に言えば、私も頭を抱えてしまいます。でもひとつ言えるのは、完全な平和ではなかったとしても、必要なのは会話、お互いを理解しようと努める姿勢だということです。考え方などに大きな違いがあったとしても、また相手の言うことに怒りを覚えたとしても、違いを認め、ともに生きようと決意し、今そこにいる人たちを追い出さず、追い出された人には戻る権利を与えるべきだと考えています。

私の文章を読んで気に入らないと思った方もいることでしょう。何を言っても、怒りを買ってしまうのが私の現実なのかもしれません。でも、戦い方はひとつではないと思います。私のような者にとっては、「普通の日常を送る」ことも戦いのひとつの形です。私は、この方法で戦い続けます。

〈雨雲〉

12 ヨルダン川西岸での人びとの生活

入植地、分離壁、検問所の存在とその影響、生活する人たちの思い

ヨルダン川西岸地区（西岸）には、三重県と同等ほどの5655平方キロメートルに約325万人が暮らす（パレスチナ中央統計局、日本国外務省）。1948年の第一次中東戦争時にヨルダンによる統治が始まり、1967年の第三次中東戦争時にイスラエルが占領し、1988年にヨルダンが領有権を放棄した。1993年のオスロ合意、翌1994年のパレスチナ自治政府誕生に伴い西岸はパレスチナ自治区となり、ジェニーン、ナーブルス、トゥバース、カルキリヤ、サルフィート、トゥルカレム、ラーマッラー・アルビーレ、エルサレム、エリコ、ベツレヘム、ヘブロンの11県の行政区画と、19の難民キャンプが存在する。また、行政区画とは別に3つの地域分けがあり、パレスチナ自治政府が行政と治安を管轄するエリアA（面積のう

ち18%)、行政を自治政府が、治安をイスラエル軍が管轄するエリアB(22%)、行政、治安をイスラエル軍が管轄するエリアC(60%)に分かれている。さらに、ヘブロンにはH2と呼ばれるイスラエル軍が行政、治安両方を管理する地域もある。イスラエル人がエリアAへ入域することはイスラエルの法律で禁止されており、エリアAに入る道には、法に反すること、生命に危険が及ぶ可能性があることを示す文面が書かれた大きな赤い看板が設置されている。イスラエルのカーナビが搭載されている車両でエリアAに入ると危険地域であることを知らせるアラートが鳴ったり、スマートフォンの地図アプリで目的地をエリアAに設定すると危険な地域であることを示す案内が示されることや、道があるにもかかわらず「道がない」と出る場合もある。

エリアCで、幹線道路の交通違反を取り締まるのはイスラエル警察だが、パレスチナ人が住むエリアではパレスチナ人同士の傷害事件や交通事故が適切に捜査されないなどの問題を抱えており、コロナ禍では、イスラエル、パレスチナ両方のマスク着用規制や外出禁止令が取り締まられず、各地から人が来てエリアCの飲食店が盛況だった、という事例も見られた。エリアCでも学校はパレスチナ教育省の管轄下にあるが、建設許可はイスラエル軍管轄のため、生徒数が増えて校舎を増築する際に、イスラエル軍からの建設許可が下りないこともある。また、エリアにかかわらず、武装勢力の捜査を目的としたイスラエル軍による軍事侵攻や、パレスチナ人の家屋捜査、不当拘束、また軍事施設ではない村の中でのイスラエル軍の訓練は日常的に起きている。

1967年以降、エリアCには、146のイスラエル政府公認のイスラエル人入植地が建設され、約48万人のイスラエル人が入植地で暮らす（Peace Now）。さらに政府に認可されないいま建設されるアウトポストと呼ばれる違法入植地も140以上存在し、2~3万人が暮らしていると言われている。これら入植地は、パレスチナの町と隣り合うようにできているだけではなく、町の間に入り組むような作りの地域もある。入植地の周りには、入植者しか通れない道路が建設され、パレスチナ人の通行が困難になる、元々あったパレスチナ人の水源が入植地になる、大規模な入植地農園や農作物の加工工場ができて多くの農業用水を使用し、充分な水がパレスチナ人に提供されなくなる、などの問題を抱えている。イスラエルの人権団体ベツェレム（B'Tselem）によると、入植地で暮らすイスラエル人が1日に使える水の量は247リットルなのに対し、パレスチナ人は82・4リットル、水源が入植地になったため水源と接続されていない村では、1日あたり26リットルしか使えないという報告もある。地域によっては、インフラが整っていないこともあわせて、シャワーを浴びようとすると、エルサレムと比べて水圧が弱かったり、水が充分に供給されず断水が続くこともある。

入植地の建設にあたっては、パレスチナ人の家が取り壊しの対象になり、農地や土地が没収されるが、OCHA（国際連合人道問題調整事務所）によると、2023年の1年間で西岸では899の農地や家屋の没収が起き、約1600人が土地を追われ、約43万人が影響を受けた。

また、入植者による嫌がらせや攻撃もあり、「イスラエルとの和平を望みイスラエル人と話がしたくても、西岸にいると、出会うイスラエル人が兵士か入植者で、話をすることができない」という声もパレスチナ人から聞く。

２００２年以降イスラエル政府はイスラエルの治安保持を名目に西岸を囲む分離壁を建設しているが、分離壁はイスラエルと西岸の境界線である１９４９年の停戦ラインを越え、西岸内に入り込む形で建設されている。入植地につながるように建設されている道路や分離壁により、分断状態になっているパレスチナの村もある。

また、イスラエル軍による検問所の存在も西岸内、および西岸からイスラエルへ行く際の移動を妨げている。検問所は、西岸の町とイスラエルの町の間や、パレスチナ人の町と入植地の間にある常設のものの他、フライングチェックポイントと呼ばれる、西岸内に突然できるチェックポイントがある。２０２３年初頭のＯＣＨＡの調査により、西岸内、および東エルサレムには、常設、断続的にパレスチナ人の移動を規制、制限、監視し、移動の障害となっている場所が６４５ヶ所あると明らかになった。西岸に住むパレスチナ人のなか

東エルサレムと西岸（アブディス）の間にある分離壁（筆者撮影）

でも55歳以上の男性と50歳以上の女性は許可証なしでイスラエルに行くことができるが、それ以外のパレスチナ人は基本的にイスラエルに通じる検問所は通行が許可されていない。仕事や通学、西岸内で治療ができない病気や怪我の治療のためにイスラエルに行く人たちにはイスラエル軍から許可証が発行されるが、申請しても許可証が発行されない場合も多い。

イスラエルとパレスチナでは車両のナンバープレートが違うが、許可証を持っていても基本的にはパレスチナナンバーの車両は検問所を越えてイスラエルに行くことはできない。イスラーム教の断食月であるラマダーン期間中は、「既婚者で40歳以上」「女性」「日時指定」などの制限がついて、聖地であるエルサレムのアル＝アクサー・モスクにお祈りに行く人たちへの通行が許可される場合もある。ただし、これら年齢による制限や許可証の所持があっても、ユダヤ教の祭日や、パレスチナ人によるイスラエル人への事件が起こった際などには、検問所が閉鎖されたり、明確な理由が示されないまま、検問所にいるイスラエル兵によって通行が許可されない場合もある。これら検問所を越える際、特にパレスチナ人が西岸からイスラエルに行く際は、X線による手荷物、身体検査やID検査が必要な場合が多く、通勤や通学の際には大勢が押し寄せて確認に時間がかかるため、朝5時頃から検問所にはたくさんの人が並び、検問所周辺には渋滞ができる。

西岸内の検問所は、基本的にはエリアAとエリアB、Cの間や、入植地の近く、またH2地区に存在し、西岸内のために本来許可証など必要なく移動できるはずのパレスチナ人の日々の

イスラエルと西岸の間の検問所（筆者撮影）

通行に制限をかけ、移動を困難にしている。身体検査の名目のもと、セクシュアルなハラスメントを受ける、目隠しや身体の拘束、職場に持っていくために用意していた昼食の没収、スマートフォンでゲームに興じているイスラエル兵にむやみに待たされるなどの嫌がらせも度々起きており、パレスチナ人の心理的、身体的負担となっている。特に２０２３年10月7日以降は、常設の検問所がいくつか閉鎖され、西岸内には多くのフライングチェックポイントができた。今まで以上にイスラエル兵が細かくＩＤや荷物検査を実施するために渋滞が起き、閉鎖された道やフライングチェックポイントを迂回するために、5分で移動できた距離に1時間かかるようになった例もある。また、西岸には空港がなく、パレスチナ人が国外に行く際には、ヨルダンに陸路で移動し、そこから国際空港を使う必要がある。飛行機に乗るまでに、パレスチナ、イスラエル、ヨルダンの出入国管理を通過する必要があり、時間も費用も余計にかかる。

入植地、分離壁、検問所の存在および移動制限は、西岸の経済、物流、パレスチナ人の移動に大きな影響を及ぼしており、教員が通勤できずに学校が休校やオンライン授業になる、工場から小売店への移動が大変になり物流が滞る、検問所で救急車が止められて検査に時間がかかるなどの問題は日常的に起きている。２０２３年のイスラエルの最低賃金が月額5571シェケル（約22万円）なのに対して、西岸は1433シェケル（約5万6000円）となっており、入植地やイスラエルで働くことを選ぶパレスチナ人は男女問わず多い。2023年には、約1万人のパレスチナ人に西岸内の入植地で働くための許可証が、14万人にイスラエルで働く許可証が発行されており、多くが建設現場や農園で働く。パレスチナ中央銀行によると、ガザと西岸からイスラエルで働くパレスチナ人たちは年間55億ドルをパレスチナ自治区での経済活動に投入しており、これはGDPの約35％に相当する。しかし、コロナ禍での移動制限や、パレスチナ人による事件の発生を受けると、許可証が取り消しになり仕事を失うことも多く、自治区とは言え、イスラエル政府の動向が彼らの就労にも大きく影響している。

パレスチナは車社会であり、一家に一台乗用車を持つ人が多いが、公共交通機関としてバスと、セルビスと呼ばれる乗合タクシーが頻繁に使われる。セルビスは、元々英語の「サービス」がなまったと言われている乗合タクシーで、ワゴン車や乗用車で、乗客が全員揃うと出発する。セルビスはエリアB、Cも含めて、各県を結ぶ路線の他、町や村の中、町と難民キャンプをつなぐ路線も多く、早朝から深夜まで走っており、まさしくパレスチナの人びとの足となっている。運賃は、町の中を走るものだと2・5シェケル（約98円）からあり、長距離の場合、60シェケル（約2300円）ほどする。イスラエルのバスの初乗りが5・5シェケルで、エルサレムとテルアビブを結ぶバスが16シェケルなので、西岸のセルビスは、長距離になるとイスラエルの

エリコ市内の様子（筆者撮影）

バスよりも感覚としては高くなる。さらに、フライングチェックポイントができて通常のルートから迂回する場合、料金が1・5倍ほどになることもあり、ここにもイスラエル軍による政策の影響が出る。このセルビスは、基本的には乗客全員が集まるまで始発の停留所を出発しないため、路線や時間によっては他の乗客を2時間待つということもあるが、停留所が決まっている始発と終点以外は路線内であればどこでも乗り降りができたり、運転手に直接電話をすれば家まで迎えに来てくれることもあり、とても便利である。また、車内では乗り合わせた乗客や運転手でお菓子を分けたり、世間話が始まることもあり、セルビスで乗り合わせた人と友人になる、仕事関連のつながりができる、ということも西岸では時々起こり、乗り物以上の楽しさもある。

西岸は、北のジェニーン市から南のヘブロン市まで約150キロと、決して広くはないものの、ジェニーンのスイカ、エリコのデーツ、ベツレヘムのオリーブ細工、ヘブロンのガラスなど名産品や伝統工芸品が各地にあり、イエス・キリストの伝説が残る教会や、世界最古の町など、多くの歴史を抱え、アラビア語の方言も各地にある。また、地形的にもバラエティに富んでおり、西岸で一番標高が高いヘブロンは1000メートルを超えているが、世界で一番標高が低い死海の近くに位置するエリコは海抜マイナス約250メートルとなっており、同日で気温が20度ほど違うこともある。

分離壁やイスラエル兵の姿が日常の中に存在し、入植地や検問所、フライングチェックポイントで移動も難しく、軍事侵攻も起きる中、西岸での生活は、自分たちが占領され抑圧されている現実を突きつけられ、自由が制限されていると感じることも多い。そのような中、イスラエル軍への抵抗手段として、武器を手に持つ人がいるのも事実であり、西岸のパレスチナ人はよく「ガザのように大規模なミサイル攻撃が西岸で起こるわけではないが、日々の生活の中で尊厳が少しずつ削られていく感覚がある」と言う。ただ、厳しい状況でも西岸で生きるパレスチナ人として、自分たちの生活を良くしよう、楽しく日々を送ろうとしている人たちもいる。若い世代は、西岸＝分離壁の中の世界しか知らない人も多くいるが、「壁の向こうの世界に行ってみたいという望みはある、けれどもそれが叶わない中、この壁の中で自分たちは楽しく過ごす」と語ってくれたパレスチナ人がいる。自分たちはテロリストでも被害者でもない、ここでできることを今するしかないと、時に占領すらもジョークにして語るパレスチナ人の姿からは、西岸で暮らす彼らの強さと優しさを感じることができる。

〈福神遥〉

13 テルアビブ

世俗的首都の「多様性」

イスラエルを訪れる観光客の最大の目的地は、聖地エルサレムだろうか。あるいは北部ガリラヤ湖周辺のキリスト教聖地巡礼かもしれない。荘厳な歴史の重みを街の隅々から感じるエルサレムを発って電車で1時間弱、テルアビブは、エルサレムとは正反対の「俗っぽい」魅力が感じられる街である。地中海に面したビーチは南北14キロメートルに及び、朝から晩まで異なる景色を見せる。街中のどこからでも乗り降りできる電動キックボードのシェアライドを利用してみよう。北は市民の憩いの場であるヤルコン公園から、南はヤッフォまで、ビーチ沿いの平坦な道路を駆け抜けることができる。ナイトライフに興味があれば、若者が集まるナイトクラブやバーには事欠かない。

ヤッフォの丘の上からテルアビブ方面を望む（筆者撮影）

建築に関心があれば、近代建築を代表するバウハウス建築群も、薄汚れているが現在も生きた文化財として貴重な価値を保っている。２００３年に「白い都市」として世界遺産登録された街並みの雰囲気を味わうには、ビアリク広場を中央に、円形に並ぶ旧市庁舎や、詩人ビアリクの邸宅などが並ぶ界隈をおすすめしたい。旧市庁舎は、２００９年からテルアビブ歴史博物館として改築され、初代市長であるメイル・ディゼンゴフの執務室と、現代美術を掛け合わせた興味深い空間を楽しむことができる。

あなたがビジネスマンであれば、テルアビブは数あるスタートアップを輩出するビジネスの中心地でもある。高層オフィスからは眼下にビーチを、はるか遠くには砂塵に霞むエルサレムも望むことができる。歴史あるハビマ劇場や、イスラエルを代表する美術館のひとつであるテルアビブ美術館をはじめとする文化施設も数多くある。市中心部には、防衛省を始めとする行政機関や、世界のほとんどの国が大使館を構える。なお、２０１８年の米国を皮切りに、グアテマラ、ホンジュラス、コソボ、パプアニューギニアが２０２３年までにエルサレムに大使館を移転させたが、その他日本を含む各国では、エルサレムは国際的な首都として承認されていないことを補足しておくべきだろう。

テルアビブとは、丘を意味する「テル」と春を意味する「アビブ」、すなわち「春の丘」を意味する詩的な響きを持つ都市だ。古くは聖書に由来するが、より直接的にはシオニズムの父とされるテオドル・ヘルツルの小説『古く新しい国』に登場する理想郷から取られた名前である。英語表記ではTel Aviv- Jaffa、ヘブライ語表記ではテルアビブ・ヤッフォが正式名称であり、1950年の合併以降、ヤッフォ（アラビア語でヤーファー）は南部テルアビブの一部として吸収された。ただし歴史的な順番としては真逆で、ヤーファーが古代都市であるのに対し、テルアビブはそこから派生して事後的に拡大した新しい都市である。

ユダヤ人の視点から見た場合、元来、エルサレムを目指す旅人や商人にとって、港町ヤッフォは「シオンへの入り口」であった。1882年の第一次アリヤー以降、ヤッフォに滞留するユダヤ人口が増加し、1900年代初頭のオスマン帝国統治下ではネヴェ・ツェデクやネヴェ・シャロームの地区がユダヤ人居住区として購入された。さらに1906年に60世帯の「宅地用私有地（アフザット・バイト）」として形成されたエリアが、テルアビブの礎となったとされる。最初の高等学校（現在はシャロームタワー）を中心として、現在ロスチャイルド大通りとして賑わう街区が周辺に形成されていった。当初は、人口の多いヤッフォから離れた庭園住宅として計画されたというが、これが、1910年に先述の「テルアビブ」と改名されて後の大都市となったのである。テルアビブの人口が飛躍的に増加したのは1930年代であり、1931年に

4万5000人だった人口は1935年に12万人、1939年には16万人となった。当時のパレスチナ人口の35・9%を占めたという。

テルアビブは、その後いくつもの歴史的瞬間の舞台となった。1948年5月に、ダヴィッド・ベングリオンが独立宣言を読み上げたロスチャイルド大通り沿いのホールは、「独立ホール」として公開されている（2023年現在改装休館中）。1995年11月、首相イツハク・ラビンが暗殺されたのは、テルアビブ市役所前の広場で、オスロ合意を支持する群衆の眼前での出来事だった。事後、ラビン広場と名を記念されるようになったこの広場では、現在でも政治的なデモ行動や文化活動など人足が絶えることがない。

かたや、ヤッフォに居住していたアラブ人にとって、テルアビブでのユダヤ人の繁栄は、「ナクバ」と呼ばれる離散の始まりであった。1948年5月、建国以前のユダヤ軍事組織であるハガナーによって陥落し、5万人から10万人のアラブ住人が難民としてヤーファーを離れることを余儀なくされた。1948年夏時点で、当地に残留を許されたのは4000人程度しかおらず、旧市街を除くほとんどの住区や商業施設が破壊されるか、あるいは後のユダヤ移民により流用された。ヤッフォの沿岸丘陵地帯は、現在では観光客向きの芸術地区としてギャラリーが立ち並び、港も商用ではなく観光用に整備美化されている。歴史的建造物もホテルなどに改造され、多くは海外客向けの高級地区となった。ヤッフォにかろうじて残留したアラブ系住民の末裔にとっては、地価が高騰し苦しい時代を迎えている。テルアビブは、イスラエルで初めての「ユダヤ人だけの街」として発展したとされる。しかし、イスラエルのどの土地も、アラブ人が最初から存在しなかった場所は当然ながらないことを忘れてはならないだろう。

筆者は2019年からおよそ1年半にわたり、テルアビブ市北東に接するラマト・ガン市で生活した。テルアビブ市内は世界主要都市と比較しても住宅価格が高いことで有名であり、近接するラマト・ガンやバト・ヤムがベッドタウンとして機能している。肉屋では基本的にはユダヤ教の食餌規定に即した食肉しか手に入らないことを想定していたが、ラマト・ガンでは、予想に反して最寄りのスーパーマーケットでも豚肉が手に入った。宗教的な戒律に一切頓着しないロシア系の移民が多く居住するためである。彼らが経営する食品店ではすべての表示にロシア語とヘブライ語が併記されていた。アパートの入居1日目には、(日本では決して起こらないことだが)前の住人がまだ退居しておらず、大量の家具とガラクタを残していった代わりに、手製のロシア風餃子スープもふるまってくれた。彼女を迎えに来た父親はウズベキスタン出身だと言い、テルアビブにいくつ

ヤッフォ南部のムスリム墓地(筆者撮影)

かあるウズベキスタン料理店のおすすめも教えてくれた。

こうした思いがけない「多様性」がテルアビブのもうひとつの奥深さである。テルアビブの多様性と言えば、性的多様性を認める寛容な都市としての姿が一番の売りだろう。レインボーフラッグを掲げてLGBTフレンドリーを示す店も多く、毎年6月には「テルアビブ・プライド」の大行列が浜辺沿いの道路一面を埋め尽くす。他方で、ユダヤとアラブのみにとどまらない、イスラエルの複雑な様相もテルアビブでは垣間見ることができる。

前提として、これまでに触れてこなかったテルアビブ南部について触れておこう。テルアビブの都市としての発展は、地理的にテルアビブ・ヤッフォ市のほぼ中央から始まり、北部へ拡大していった。市街北部は、1930年代から現代に至るまで比較的裕福な地区として発展してきた。典型的には、ヤルコン川を隔てて最北部に位置するラマト・アビブのように、広々とした敷地に邸宅やショッピングモールが立ち並ぶ地区があり、テルアビブ大学のキャンパスもこの一画を占める。ただしテルアビブ市内の多くの場所では、ビーチ沿いを除いて広々とした空間は残されておらず、縦方向に伸びていくばかりの新築マンションを見るまでもなく居住空間は雑然としている。それでも、北部においては数回にわたる都市計画に基づき大通りと居住空間の整備がなされてきた。

他方、テルアビブとヤッフォが1950年に合併されるまでの数十年間、両市の狭間にあって都市計画が及ばなかった中間から南部の地帯は、様相が全く異なる。テルアビブの都市計画が全体的にヨーロッパ風で、世俗的なアシュケナジ系優位な社会構成であったのに対し、都市計画が及ばなかった南部においては社会的に低い位置に置かれたミズラヒ系（中東や北アフリカを出身とするユダヤ人）が比較的家賃の安い借家に居住するという構図が現れた。テルアビブ南部はつねに、都市の周縁的な空間であった。リクード政権下の1977年から1981年の間、メナヘム・ベギン首相はミズラヒ系の社会空間を改善することを国是のひとつとした。その間、テルアビブ南部においてもインフラは改善されたものの、依然として社会的な地位は改善されなかった。むしろ、北部や中央地域、ヤッフォ沿岸の美化に投資が集中し、南部は再び顧みられることがなかったのである。

かつてのミズラヒ系に代わり、現在のテルアビブ南部で目立つのはアフリカ系移民の存在である。2000年代以降イスラエルでは、アフリカ、特にスーダンやエリトリアから40万人以上の労働移民を受け入れた。2000年代初頭に一度は10万人規模の不法滞在者の強制送還が行われたものの、難民申請者の流入はとどまることがなかった。彼らアフリカ系の多くは、ハ・ティクヴァ地区やクファル・シャレム地区といった、もともと家賃が安い南部地域に集住している。

南部を象徴する魔窟のような空間が、シャピラ地区とネヴェ・シャアナン地区の境界域に建つセントラルバスステーションである。1960年代から建設が始まり、ようやく1993年に完成した7階建ての巨大建造物は、曲線的に延びて上下につながり、まるで迷路のような構

セントラルバスステーション内のフィリピンマーケット（筆者撮影）

造となっている。肝心な長距離バスターミナルは6階部分にあるが、それ以外の巨大な空間の半分ほどが空きテナントとなっている。ここに入居しているのは、若手アーティスト育成支援の一環として開放されているアート・スタジオや、イディッシュ語の文化活動がひっそりと行われるスペース、サーカスの練習場、スタートアップ企業のための貸しオフィスといった雑多なテナントだけではない。1階はフィリピン食品店と、麺類や定食を提供するフィリピンレストランが並んでいる。ターミナルの外には、市街の様々な地区へ乗り入れるシェルート（乗合タクシー）の乗り場もあり、人びとの掛け声と雑踏でごった返している。中でも多く見られるのが、先述したアフリカ系の若い男性の姿である。ターミナル裏手に回れば、突如漢字の溢れる中華街も出現する。

テルアビブが、イスラエルで初めての「ユダヤ人だけの街」と呼称された、と先に述べた。しかしながら、北と南、宗教と世俗、ユダヤとアラブという二項対立軸だけでは語ることのできない雑多な光景が現れるのは、どの大都市でも同じことであろう。

〈宇田川彩〉

14 終わりのみえない難民生活

レバノン在住のパレスチナ人

「私たちはパレスチナに帰ることができなかった！」

そう語ったパレスチナ難民のザイナブ（70代女性・仮名）と彼女の家族は、難民となって追放された先のレバノンでも、自分の家が8回破壊され、瓦礫の山になった。

明日何が起こるかわからないという恐怖を抱えて生きてきたのは、ザイナブだけではない。彼女と同じように、レバノン在住のパレスチナ人は、イスラエルに収奪された故郷に「帰還できなかった」（2023年現在）のみならず、離散先のレバノンでも内戦に巻き込まれた。陸海空からの攻撃、虐殺や包囲攻撃を始めとする戦闘にさらされ、その度に殺傷されたり、行方不明になったり、移住を余儀なくさせられたりしてきたのである。

本章では、ザイナブの個人的記憶に焦点を当てながら、まずレバノンのパレスチナ人が経験してきた過去を取り上げた上で、彼らを取り巻く現況について述べる。

１９４８年、パレスチナに「ユダヤ人国家」の建設を目指したシオニストの武装組織は、先住していたパレスチナ人を虐殺して恐怖を煽りながら、75万人ものパレスチナ人を同地から追放していった。イスラエル人歴史家のイラン・パペによれば、この戦争が終わった時、彼らの５３１の村落が破壊され、11の都市部が無人にされたという（パペ、イラン『パレスチナの民族浄化』法政大学出版局、２０１７年、3頁）。

こうして建国された新生の国民国家イスラエルは、パレスチナ人がその場に残していった家を破壊し、土地と財産を没収していった。このようにして、パレスチナ人の村々を破壊した瓦礫の山の上に、ユダヤ人が移住してきて新たなコミュニティを建設していった。パレスチナ人の村々は消し去られ、新たにヘブライ語の名前を付けられた。パレスチナ人の離散と故郷喪失の悲劇は、アラビア語で「ナクバ」（大惨事）と呼ばれる。

このとき彼らは、命からがら隣国のレバノンに逃れて、そのまま難民になった。多くの人びとは、シオニストの攻撃から一時的に避難するつもりで、パレスチナとレバノンの境界を渡った。もう二度と、先祖伝来の故郷の家に帰ることができなくなるとは思ってもいなかったのである。

レバノンに逃れたパレスチナ人の大多数は、テント状態の難民キャンプに押し込められ、貧困状態に苦しみながら生き延びてきた。ザイナブは、筆者と顔を合わせるたびに、「冬の厳しい寒さで兄が死んだ」ことを語った。彼女の家族がレバノンに到達して、最初に移送されたのは、ベカーア高原に設置された難民キャンプであった。そこは標高が高く、冬に大雪が積もるほど寒さが厳しい場所である。ザイナブによれば、着の身着のまま故郷の村から追放されてきたため、「服もない、水もない、電気もない、家もない」状態だったという。毛布や衣服で十分に防寒することができなかったため、まだ幼児であった兄は病気になって、そのまま死んでしまった。

世界から切り捨てられ、忘れ去られたパレスチナ人が、自らのアイデンティティを再び確立することができるようになるには、1969年まで待たねばならなかった。この年、レバノン国内のパレスチナ難民キャンプが、レバノンの軍情報部の抑圧から解放された。難民キャンプでは、パレスチナ人がレバノン軍情報部から常時監視され、移動の自由が制限された上、説明もなしに連行されて集団暴行に遭ったり、罰金やわいろの支払いを要求されたりしてきたのである。

それと入れ替わりに、パレスチナ解放機構（以下、PLO）の指導部を構成するパレスチナ解放諸組織（主要な組織としてファタハ、PFLP、DFLPなど。以下、諸組織と略記する）が難民キャンプに入った。これによって、PLOが主導するパレスチナ解放運動が難民キャンプを拠点に昂揚した。

パレスチナ解放を目指す「革命」への熱狂が高まると、解放運動の影響力は、家族関係にも波及した。難民キャンプに暮らす男性の大多数が、諸組織に参加していったのである。多くの学生もまた、両親の許可を得ないまま、学校を中途退学して、シリアなど隣国に軍事訓練を受けに行った。このため、英国の人類学者ローズマリー・サーイグによれば、諸組織は解放運動への参加を希望する12歳から13歳の子どもたちも訓練に受け入れたという（Sayigh, Rosemary. 1979. *The Palestinians*. London: Zed Press.）。かつてパレスチナで農民生活を営んでいた人びとが、イスラエルに収奪された故郷への帰還を願って、銃を取り、命をかけて祖国解放運動に身を投じていったのである。

ザイナブはこの時期を想起して、「PLOがここ〔難民キャンプ〕に来てたった1週間で、各家屋の2階分の建て増しが行われた。屋根の素材も変わり、雨漏りしなくなった。だから幸せを感じた。1974年に国連がパレスチナを認めた時は幸せだった。だから〔ヤースィル・〕アラファートを支持した」と語った。

「1974年に国連がパレスチナを認めた」とはPLOが国連総会でパレスチナ人の代表として認められ、オブザーバーの地位を獲得したことを意味している。しかし、間もなく1970年代初頭から、難民キャンプはイスラエル軍によって日常的に爆撃を受けるようになった。その時のことをザイナブは次のように語った。

「PLOの闘争は、苦難の日々だった。日常的にイスラエルの戦闘機が難民キャンプを爆撃し、多くの人が殺された。子どもも殺害された。キャンプの中に防空壕まで作られた。このキャンプはもはや私たちのものではなかった。〔中略〕そしてキャンプは空っぽになった。故郷に戻りたかった」。

1975年から、レバノンが内戦に突入すると、パレスチナ人はイスラエル軍からの凄惨な攻撃を受け続けただけでなく、レバノンの民兵諸組織との戦闘も激化した。ザイナブが住んでいたのは、首都ベイルートにあるシャーティーラー難民キャンプである。シャーティーラーは破壊の限りを尽くされ、その度に無数の人びとが命を落とし、生存者は同キャンプからの避難を余儀なくされた。冒頭で述べた通り、レバノン内戦期（1975~1990）に、ザイナブの家が8回破壊され、瓦礫の山となった。個人の家のみならず、シャーティーラー難民キャンプ自体も完全に破壊され、住民は移動を強いられたのである。

1982年6月6日、イスラエル軍がレバノンに軍事侵攻した。イスラエル国防相のアリエル・シャロンは、この侵攻はレバノン南部からPLOを排除することが目的だと語った。だが、イスラエル軍は南部から北部に向けて侵攻していき、1週間後にはベイルートまで到達して、パレスチナ難民キャンプを攻撃したのみならず、ベイルートの市街地をも破壊していった。これにより、レバノンは、イスラエル軍による陸・海・空からの全面攻撃にさらされた。

レバノン各地でイスラエル軍による凄惨な攻撃がつづくなか、PLOはイスラエルによって即時かつ無条件の撤退を要求され、アメリカからもこれを突き付けられた。これに対して、P

LOはレバノンから撤退した場合、脆弱な立場に置かれると予想されるパレスチナ人民間人を国際的に保護するため、国際部隊を長期配備することを求め、その確証をアメリカ政府とレバノン政府から得た。それに基づいてPLOは撤退に合意した。イスラエルの軍事侵攻からわずか78日後、PLOの指導部や戦士たちがベイルートからの撤退を強制されることになった。つまり、1982年8月、PLO指導部、そして戦士がレバノンを離れ、他国へと再び離散していったのだ。

無数のパレスチナ人が解放運動に参加して、故郷への帰還を願って戦い、命を落とした。筆者がインタビューを重ねると、多くの人びとがこの時期に家族の誰かを失っていたことがうかがえた。それだけにとどまらず、PLO指導部が撤退した後のレバノンでは、凄まじい集団的な残虐行為が難民キャンプの人びとを待ち受けることになった。なぜなら、イスラエルの圧力によって、アメリカが国際部隊を一方的に引き上げる決定をしたためである。その結果、パレスチナ人は、PLOによる保護を失った状態で、難民キャンプに無防備のまま取り残されることになった。

この時のことをザイナブは、「1982年は厳しかった。PLOがレバノンを去った後、とても困難だった」と語った。続けて「シャーティーラーの90%が破壊された。とにかく思考も停止して、何も考えることができない、ただ怯えていた日々だった。多くのパレスチナ人はハムラー通り〔西ベイルートの繁華街〕に避難した。なぜなら、ハムラーには大使館などがあり、安心できる場所だったから。〔中略〕レバノンを離れたかった。〔1982年の後に〕すべての難民キャンプにいた14歳以上のパレスチナ人男性が、〔レバノンのキリスト右派民兵の〕レバノン軍団に誘拐されて、刑務所に投獄された。だから、難民キャンプは女性と子どもばかりになった。シャーティーラーは瓦礫の山になった。残された女性と子どもたちで瓦礫の破片を運び出した」と語った。

以上のように、ザイナブの語りから、とりわけ1982年後、非武装のまま丸腰でレバノンに取り残されたパレスチナ人が、いかに凄惨な暴力にさらされ、恐怖の日々を過ごしてきたのかが示されている。シャーティーラーでは、住民の虐殺事件、難民キャンプの包囲攻撃が起こった。

具体的にはまず、サブラー・シャーティーラー両難民キャンプ虐殺（1982年9月16日、17日、18日）が起きた。この虐殺事件では3日間、イスラエル軍の照明弾が難民キャンプを照らし続けるなか、レバノン軍団が住民の家に押し入り、非武装の民間人を無差別に殺害してまわった。シャーティーラーを南北に突き抜ける中央通りは、虐殺された死体が山のように積み重なって埋まった。この虐殺における正確な死者数は不明だが、この虐殺を生き延びた目撃者の推定では、約4000人から5000人にも上る。シャーティーラーの南端の空き地にブルドーザーで大きな穴が掘られ、そこに虐殺犠牲者の死体が集団埋葬された。

この虐殺が起こった時、ザイナブは何かが起こりそうだと直感して、シャーティーラーの外

ベイルートにあるパレスチナ難民キャンプ（筆者撮影）

にいた。そのため虐殺を免れることができたが、『「シャーティーラーの住民全員が殺された！」』という噂を聞いて、シャーティーラーの入り口まで駆けつけた」と語った。キャンプの中に入ろうかと迷い続け、9月19日に思い切って虐殺現場に入ったという。

続いて、「キャンプ戦争」と呼ばれる包囲攻撃が起きた。これは、レバノンのシーア派民兵組織のアマル運動が、パレスチナ難民キャンプを包囲して砲撃した事件である。１９８５年から1987年まで断続的に3回にわたって続いた。キャンプ戦争で、シャーティーラーの住民は寝食を忘れて、キャンプ防衛に奔走した。1982年の虐殺の時と同じように、アマル運動の戦闘員がキャンプに入ってきたら皆殺しにされると恐れていたのである。

包囲下では毎日、砲撃や狙撃手による銃撃を受け、多くの死者が出たために、キャンプ内を移動することも困難であった。食料も水も医薬品も底をついた。シャーティーラーの人びとは、キャンプの外にある病院に負傷者を搬送することができなかった。殺された遺体もまた、通常通り、キャンプの外にある墓地に埋葬することは不可能であった。急遽モスクの中に穴を掘って、そこに集団埋葬するより他なかった。包囲攻撃の結果、シャーティーラー難民キャンプは完全に破壊され、生存者のほとんどが強制的に移動させられたのである。

2017年、筆者が初めてザイナブに出会った年に、彼女は「一番の願いは、私自身がパレスチナに戻ること」だと語った。彼女はパレスチナに帰るという希望を持ち続けていた。イスラエルが自国のユダヤ性を保持するために、抹殺しようとしている先住者としての「パレスチナ人の精神」を次世代につないでいくことを自らの使命としていたのである。

しかし、2022年10月、筆者が1年間の現地調査から帰国する直前、ザイナブは冒頭のように2度、語ったのである。「私たちはパレスチナに帰ることができなかった!」。

今まで「パレスチナに帰りたい」と願ってきた彼女から、この言葉を聞いた時の驚きは忘れられない。故郷を失い、無国籍のまま、難民として流浪の身で生きていくしかないという絶望はいかほどのものか、それは当事者にしかわかりえない苦しみであろう。

ザイナブは次のように語った。「私たちはパレスチナに帰ることができなかった！　それなのに、レバノン政府はパレスチナ人の就労を制限している。私たちは医者になれないし、エンジニアとして働くこともできない。だからパレスチナ人の子どもたちには未来がない。将来に希望がない。将来に制限がかけられているから、〔絶望して〕麻薬に走ってしまう子どももいる」。

レバノンで、パレスチナ人は国籍を取得することができず、国内法規上、外国人として扱われている。したがって、パレスチナ人はレバノンで医師やエンジニアを始めとする少なくとも約30もの職種に就くことを規制されたままだ。

ＵＮＨＣＲによれば、２０２１年時点で世界に無国籍者は、４４０万人いると推定されている。「一民族に一国家」を理想とする国民国家体制の下、パレスチナ人のように、自前の主権国家をもつことができなかった民族が難民とならざるを得ず、国境のはざまで苦しんでいる。

〈児玉恵美〉

15 日常の中のナクバ／ナクバの中の日常

歴史の抹消にあらがう人びとの暮らし

ナクバという言葉を聞いたことがあるだろうか？　パレスチナ人のアイデンティティにとって重要な言葉のひとつで、アラビア語で「大災厄」を意味する。１９４８年にイスラエルが建国されたとき、先住者だったパレスチナ人が追放され、故郷を失った出来事を指す。人口の約半数にあたる75万人が難民となり、５３０村が破壊され、パレスチナ社会の大崩壊が起きた。同じ年にシリア出身の知識人クスタンティーン・ズライクが出した『ナクバの意味』という本で、この言葉が初めて使われた。同年12月に出された国連総会決議１９４号では、パレスチナ難民の故郷への帰還や、それを望まない場合の補償が定められたが、イスラエルは難民の帰還を認めず、ナクバの悲劇が続いている。

パレスチナ人が難民になった原因について、パレスチナ人歴史家はシオニスト準軍事組織やイスラエル軍による追放計画があったと訴えてきた。これに対し、イスラエル政府は長年「パレスチナ人がアラブ人指導者の出した命令に従って退去した」として、責任を否定してきた。1980年代には、新たに公開されたイスラエルの公文書を使って、パレスチナ人の追放計画の存在を事実として示す「新しい歴史家」と呼ばれるグループも現れた。しかし、その後もイスラエル政府は追放計画の否定や資料の隠蔽を行い、国会でも2013年に通称「ナクバ法」が可決され、イスラエルの公的助成を受けた機関・団体がナクバを追悼することが禁止された。

最近は難民の人に「ナクバの研究をしている」と伝えると、「いつのナクバ?」と聞き返されることが増えた。というのも、76年がたった今も「ナクバは続いている」と感じる人が多いからだ。「私たちのカレンダーには数えきれないほどのナクバの日がある。1948年のナクバの日(イスラエル建国宣言が出た5月15日)だけじゃない。同じ年のデイル・ヤースィーン村の虐殺の日(4月9日)、1976年にイスラエル北部での土地接収への抗議弾圧によって死傷者が出た「土地の日」(3月30日)、1982年のレバノンでのサブラーとシャーティーラーの難民キャンプの虐殺の日(9月16〜18日)、ほかにもいっぱいある。おかげで結婚式の日取りにいつも苦労する」との自嘲も聞こえる。くり返される強制移動や虐殺。パレスチナ人はそれを「継続するナクバ」と語っている。

パレスチナ難民とその子孫には、安定した暮らしを送れない人も多い。ヨルダンやレバノンでは、１９７０~80年代、難民キャンプに拠点を置いていたパレスチナ人指導部が、軍や民兵組織から弾圧され、難民キャンプの住民も虐殺や追放にあった。シリアにあるパレスチナ難民キャンプも２０１１年に始まった内戦で攻撃を受け、虐殺・封鎖・飢餓のために多くの人がキャンプを離れた。ナクバは１９４８年以降も続いてきたのである。

さらに、１９４８年に難民にならなかった人びともその後ナクバを経験している。例えば、１９６７年の第三次中東戦争でイスラエルがヨルダン川西岸地区（西岸）・ガザ地区（ガザ）を占領したとき、約25万人が家を追われた（その半数は48年に続く2度目の追放だった）。イスラエル占領下の西岸ではその後も、土地接収やユダヤ人入植地の建設、移動制限、家屋破壊などで、多くの人が家を失っている。

他方、同じイスラエル占領下でもガザの状況はいっそう深刻である。ガザでは、住民230万人の約3分の2が、１９４８年の難民やその子孫で、１９６７年にもガザを追われた者がいた。２００７年からは、イスラエルが人や物資の出入りを制限する封鎖政策をはじめ、住民は水・食料・薬・電気・燃料などを得られず、人道危機が起きた。人びとは２０１８年3月から1年9ヶ月間、毎週金曜日に封鎖の解除と故郷への帰還を訴えて、封鎖用フェンスを打ち破るため、「帰還の大行進」と呼ばれる非武装デモを行ったが、フェンスの外で待ちかまえるイスラエル兵にことごとく銃撃され、多くの死傷者が出た。そして２０２３年10月7日、ハマースらガザ武装抵抗組織が、封鎖用フェンスを壊してイスラエル領内で軍事作戦を行うと、事態は最悪になった。ガザは完全封鎖下で攻撃され、飢餓と医療崩壊が起き、避難者が殺到する国連施設・病院・モスク・教会なども攻撃され、2万8663人の死者が出た（2024年2月15日現在）。

このイスラエルによるガザ攻撃については、国連人権専門家による声明や、南アフリカ共和国による国際司法裁判所（ICJ）への提訴によって、ジェノサイドの可能性も指摘されてきた。そして、この事態は日本も無関係ではない。国際社会、なかでも日本を含む欧米諸国が、長年のイスラエルの国際法違反を止めなかったことが、イスラエルの暴力を拡大させてきたのであり、ナクバの新たな1ページを最悪の形で開いたのだ。

パレスチナ人の強制移動について調査する西岸のパレスチナ人NGO「バディール――パレスチナ人の居住権と難民の権利資料センター」も、ナクバは一度きりの出来事ではなく、継続的なプロセスであると述べる。一般的に「パレスチナ難民」とは、国連パレスチナ難民救済事業機関（UNRWA）に登録された難民を指し、「1946年6月から1948年5月まで通常の居住地がパレスチナであり、1948年戦争の結果、家と生活手段の両方を失った者」と定義される。しかしバディールは、パレスチナ人は1948年の追放以外にもずっと強制移動にあっており、その歴史全体を「継続するナクバ」と捉えるべきだという。

バディールは、強制移動にあった人びとを4つに区分している。①1948年やその後にイスラエル領外に逃れた「48年難民」、②1948年やその後に家を追われたが、イスラエル領に留まった「48年国内避難民」、③1967年やその後にパレスチナ地域から逃れた「67年難民」、④1967年やその後にパレスチナ占領地内で家を失った「67年国内避難民」である。

この定義には2つの特徴がある。ひとつは、1948年と67年に起こった大規模なもの以外にも、様々な形での強制移動が続いていることであり、2つ目は、移動の際にイスラエル領やパレスチナ地域の境界を越えたかどうかで「難民」と「国内避難民」を区別していることだ。例えば、1948年に家を追われた人でも、避難先がイスラエル領外の場合は48年難民、避難先がイスラエル領となった場合は48年国内避難民になる。ちなみに、1948年直後にイスラエル領に留まったパレスチナ人は約16万人（イスラエル人口の約20％）で、うち約4万6000人が国内避難民だった。2021年にはイスラエル領内のパレスチナ人190万人のうち、国内避難民は約43万人になった。

バディールの調査によれば、世界のパレスチナ人口約1400万人のうち、国連に登録されたパレスチナ難民だけ見ると約580万人（パレスチナ人口全体の41・4％）だが、強制移動の経験者全体を見れば約917万人となり、パレスチナ人全体の約3分の2が何らかの形で家を追われた人びとやその子孫だとわかる。この点からも、ナクバはパレスチナ人の集合的アイデンティティの土台だと言える。

パレスチナ人のメディア報道でも、パレスチナ人が直面する苦難については個別の出来事としてではなく、1948年のナクバの延長とすることが前提になっている。かつてイスラエルの初代首相ダヴィッド・ベングリオンは、パレスチナ人の「老いたものは死にゆき、若者は忘れる」と日記に書いた。軍事力で圧倒すればナクバの記憶を抹消できる、と考えたのだろう。だが、パレスチナ人は苦難が続くからこそ今でもナクバを語り続けているのだ。

文化に目を転じれば、パレスチナ人の映像作品でも、ナクバをテーマとするものがたくさんある。最近話題になった映画に、ヨルダン国籍のパレスチナ人ダーリーン・サラーム監督の劇映画『ファルハ』(２０２１)がある。１９４８年にシオニスト軍に襲撃された村で、娘を守ろうとした父親によって倉庫に閉じ込められた14歳の少女ファルハが、倉庫の隙間から赤ん坊を含む知人一家全員が惨殺されるのを目撃する物語だ。シリアに逃れたパレスチナ難民女性の実体験に基づく脚本だという。２０２２年末に米国版ネットフリックスで配信された際、イスラエル高官が続々と抗議したが、２０２４年1月時点で配信は続いている(日本版での配信は未定)。日本でも２０２４年度のイスラーム映画祭で上映された。

レバノンのパレスチナ難民キャンプが舞台の記録映画では、『我々のものではない世界』(２０１２年)がある。監督マフディー・フレイフェルは、レバノン南部アイン・アル＝ヒルワ難民キャンプ生まれで、家族でドバイに渡ったのちデンマークに移住したが、毎年一家でアイン・アル＝ヒルワ・キャンプを訪れ、そこでの生活を記録していた。外国パスポートを持ってキャンプを出入りできる監督と、同じ人間でありながらキャンプ以外にどこにも居場所がない友人との対比が、難民を取り巻く不条理を物語る。友人は幼いころから故郷に戻ることを夢見ていたが、成長とともに政治状況の厳しさを知る。ついにキャンプでの暮らしを捨て、ヨーロッパへの不法入国を試みるも、途中で逮捕され、キャンプに引き戻されてしまうのだった。タイトルの『我々のものではない世界』は、1972年にイスラエルに暗殺されたパレスチナ人作家ガッサーン・カナファーニーの小説集から取ったもので、その頃も今も難民は世界から追い立てられているというメッセージが読み取れる。

他方、アブドゥッラー・ハティーブ監督の『リトル・パレスティナ』（2021年）の舞台はシリアだ。シリア内戦中の2013年から2年間、アサド政権軍に包囲されたパレスチナ難民キャンプのヤルムークの様子を記録している。反体制派勢力がいるという口実で包囲されたキャンプで、食料や水、薬もなく飢餓、病気、爆撃に苦しむ数万人の住民の姿は、17年間のガザ封鎖やその後のジェノサイド的状況に重なる。まさにパレスチナ人の経験を象徴する「リトル・パレスティナ」だ。監督は、「虐殺と野蛮な包囲の中で、人びとが飢死することについて語りながら、同時に人びとの尊厳を守るような映画」を目指したという。ヤルムークでのナクバを放置しても、その暴力に気づかないままの世界で、人びとの尊厳を立ち上げようとするパレスチナ人映像作家のアートによる抵抗である。

ナクバの記憶はパレスチナ人の日常の至るところに刻まれている。例えばパレスチナ人の身の回りには、ナクバで失われたパレスチナの地名であふれている。生まれた子どもにハイファー、ヤーファー、サファドなど、ナクバで破壊された町の名前を付ける親も多い。離散先の地名も同様だ。先ほどの映画の舞台レバノンのアイン・アル＝ヒルワ・キャンプでは、子どもが通うファルージャ小学校やキブヤ小学校の名前も破壊された村の名前から取られた。もう大半が破壊されたシリアのヤルムーク難民キャンプでも、ファッション街はルービヤ通り、貴金属店はサファド通り、食品店はパレスチナ通りにあったそうだ。日本でも、東京の十条にパレスチナ料理レストラン「ビサン」があるが、エルサレム出身の店主がナクバで破壊された町ビーサーンを店名にしたのだそうだ。

他にも、パレスチナ人の日常には故郷の記憶が刻まれている。伝統刺繍やそれをあしらった女性用ドレス、男性がかぶる白黒の格子柄のクフィーヤなどの衣装、料理、詩や歌、婚礼・葬儀などは、いずれもパレスチナの歴史と文化の抹消に抵抗するものだ。

しかし、ナクバの記憶を刻む日常も、いつ破壊にあうかわからない恐怖と隣り合わせである。いざ破壊が起これば、パレスチナ人の日常も、その中に刻まれた記憶も破壊されてしまう。パレスチナ人は日常の中のナクバとともに、ナクバの中の日常を生きているのだ。

繰り返されるナクバの中、相互扶助ネットワークを作ってこれを耐え忍ぼうとする人もいる。こうしたネットワークのひとつが、同じ村の出身者たちで作る村民協会である。例えば、エルサレム近郊のリフター村出身の難民は、１９６０年代にヨルダンで村民協会を作り、離散地でも村民のつながりを維持してきた。協会では村の歴史・文化の語り継ぎだけでなく、子どもサマーキャンプ、高校卒業試験のための補習コースなど若者向けの活動もある。

リフター村民協会はその後もさまざまな場所で支部を作ってきた。1981年には西岸のラーマッラーに支部ができ、文化・学習活動のほか、イスラエル軍による土地接収、家屋破壊、家族の逮捕や殺害などの際の相互扶助も行っている。2000代以降、東エルサレムが他の西岸地域と切り離されると東エルサレム支部もできた。他にもアメリカのシカゴとダラスにそれぞれ支部がある。

実はこの協会の重要な活動に、リフター村の跡地への訪問がある。イスラエルがパレスチナ難民の帰還を許していないのに、なぜ彼らは故郷を訪問できるのだろうか。リフター村の難民のなかには、ナクバ後に東エルサレムに避難し、村周辺に留まった者も多い。その東エルサレムが1967年にイスラエルに併合されたため、彼らは村を訪問できるようになったのだ。訪問時は、村民協会が窓口になり、ナクバ体験者に証言を依頼したり、ツアーバスの準備、訪問時の食事・礼拝・清掃

西岸のラーマッラーにあるリフター村民協会支部の建物（2018年、筆者撮影）

リフター村訪問ツアーでの墓地の清掃活動の様子（リフター村民協会提供）

等の準備をしている。東エルサレムの外に住む人でも、通行許可証やビザが得られてエルサレムに入る機会に恵まれれば、東エルサレムの協会支部にツアーを組んでもらい、故郷の土を踏む。

訪問ツアーは開催されているものの、イスラエル当局の取り締まりのため村で寝泊まりはできない。だが、村民はこの短時間の訪問を故郷への「帰還」と呼び、イスラエルが帰還を認めなくても自分たちで「帰還」を実践するのだ、と語る。こうした「帰還」の様子は協会の出版物やSNSで発信され、帰還に向けての思いが共有されている。

今もさまざまな場所でパレスチナ人の強制移動が続く。日常の中でナクバの記憶を紡ぐこと、村民ネットワークを保つこと、「帰還」の積み重ねはいずれも、現在のナクバを持ちこたえ、歴史の抹消にあらがおうとするパレスチナ難民の抵抗の一部となっている。

〈金城美幸〉

16 パレスチナをめぐるもうひとつの争点

LGBTQの権利について

はじめに

2023年11月9日、10月末からのガザへの地上侵攻のさなかにイスラエルがSNS上に投稿したひとつの写真が話題になった。それは、LGBTQや性の多様性のシンボルであるレインボーフラッグを、ガザ地区内で掲げるイスラエルの兵士の写った写真である。この写真は投稿されるや否や大きな論争を巻き起こした。

この物議に代表されるように、イスラエルとパレスチナの問題において、この15年ほどの間、LGBTQの権利は主要な争点のひとつとみなされるようになっている。この問題は、一般に「ピンクウォッシング」として知られている。このピンクウォッシングとはどのような意味の言葉だろうか。ピンクウォッシングとは、イスラエル政府が積極的に「自分の国がLGBTフレンドリーだ」ということを国際的に宣伝していることを批判するための言葉である。この言葉は、同性愛者のシンボルカラーとされるピンク色と、「うわべを取り繕う」、「覆い隠す」という意味のホワイトウォッシュをかけ合わせた造語になっている。「ピンクウォッシング」という言葉には、イスラエルが民主的で、先進的な国家であるとほのめかすことで、結果的にパレスチナとの現在進行中の紛争や、占領といった「負のイメージ」を覆い隠す効果があるという含意が込められている。

事実、イスラエル政府は、この国際的なアピールにLGBTQの人びとの権利を動員してきた。1970年に同性愛者の解放運動として広まった欧米のLGBTQの人権運動の影響を受け、イスラエルでも1990年代以降LGBTQの権利を擁護する運動が盛り上がりを見せている。イスラエルでは1990年代にLGBTQに関するいくつかの法整備が進み、また同時期に始まったテルアビブ・プライドは、今や20万人以上の動員数を誇るほど、LGBTQに寛容な街として成長している。このLGBTQの権利状況の進展がイスラエル政府の対外的な広報宣伝に用いられるようになったのは、2000年代である。イスラエル外務省はテルアビブの開放的な雰囲気を対外的に宣伝し、またイスラエル国防軍も、LGBTにフレンドリーな軍隊として積極的にSNSなどで発信している。日本でも、2014年に代々木で行われた東京レインボープライドでは、駐日イスラエル大使館がブースを出展していたり、イスラエルの紹介記事がパンフレットに載せられていたりする。

こうしたイスラエルの戦略に対し、世界各地のＬＧＢＴＱの権利運動の場ではこのイスラエルの広報宣伝に加担したくないという人びとによる反対の声が何度も上がってきた。カナダのトロントではＱｕＡＩＡ（イスラエルのアパルトヘイトに反対するクィア）という団体が、ピンクウォッシングに反対する主張を掲げている。日本も例外ではない。イスラエル大使館と東京レインボープライドが共同で行うイベントなどに対して反対運動も起こり、２０１８年には東京レインボープライドの行進の途中に「ボイコット！　アパルトヘイト国家イスラエル」の横断幕が掲げられた。

作られる二項対立

ここまでピンクウォッシングが深刻な問題として捉えられている背景にはいったい何があるだろうか。それは、端的には「ＬＧＢＴＱフレンドリーなイスラエル／ＬＧＢＴＱに抑圧的なパレスチナ」という二項対立的なものの見方によって単純に物事が捉えられてしまうからである。

ジャスビル・プアというアメリカのジェンダー・セクシュアリティの研究者はこの二項対立的な構造を「ホモナショナリズム」という言葉で表現している。プアは、２００１年の同時多発テロ以降、アメリカがアフガニスタン戦争、イラク戦争に代表される「対テロ戦争」に突入してゆく中で、新たな形でのナショナリズムが出現していると述べ、それをホモナショナリズムと名づけた。ホモナショナリズムとは、アメリカの対テロ戦争を支持する人びとらが、自らの国を女性や同性愛に寛容であると位置付ける一方で、イスラーム社会を同性愛嫌悪、女性に抑圧的であるとして、自らの戦争遂行を正当化するような語りのことを指している。このような「進んだ西洋の国々／遅れた東洋のイスラームの国々」という二項対立的な理解のされ方は、イスラエルにもよく当てはまる。イスラエルが民主主義的でＬＧＢＴＱに対して寛容なのに対し、パレスチナ社会ではＬＧＢＴＱの人びとが迫害されてきた、というレトリックはイスラエルが自らの戦争を正当化する際に非常にしばしば用いられてきたレトリックだ。冒頭で取り上げたガザ地区でのレインボーフラッグを掲げる兵士もまさに、イスラームの教えに基づきＬＧＢＴＱの人びとを迫害するガザ地区のハマースから、ＬＧＢＴＱの人びとを救う、というイスラエル側のプロパガンダ的な語りが透けて見える。

二項対立を超えて

しかしながら、「ＬＧＢＴＱフレンドリーなイスラエル／ＬＧＢＴＱに抑圧的なパレスチナ」という二項対立では、イスラエルとパレスチナのジェンダーとセクシュアリティをめぐる複雑な様相を捉えきることは不可能である。

まず強調しておかなければならないのは、ＬＧＢＴＱフレンドリーとされるイスラエルの権利状況は、進展したとはいえ、いまだに脆弱である。婚姻制度は宗教的な影響が強いため、同性婚は認められておらず、事実婚のレベルにとどまる。また、LGBTQの権利擁護を求める運動は、常にバックラッシュにさらされ続けている。特に保守的なユダヤ教の伝統を守り続けてきた超正統派の人びとにとって、同性愛は禁忌とされており、今でもLGBTQの人びとの権利は脆弱な立場にある。また、世俗派とされるイスラエルの人びとの間でも差別は厳然と存在している。イスラエルは国民皆兵制の徴兵制度があり、社会の中心に軍隊が存在している。そのような中では伝統的な「強い男であること」や、将来の強い兵士を作る「母親としての女性像」に対する同調圧力が強く、家族を中心とした絆が強く求められる社会でもある。その中にあってこうした伝統的な価値観から外れると見なされるクィアの人びとは、二級市民としての偏見にさらされることもある。このように宗教だけでなく「リベラルな抑圧」も現に存在している。

また、「LGBTQに抑圧的なパレスチナ」と一言で片づけられるほど、パレスチナにおけるLGBTQをめぐる状況は単純ではない。確かにパレスチナ人の間では文化的・家父長制的な価値観が根強く、LGBTQの人びとは周囲からの理解が得られなかったり、苦境に立たされたりしている。しかしながら、ここで着目しなければならないのは、LGBTQに抑圧的なパレスチナというときにイメージされるほど、パレスチナ自治政府はその権限の及ぶ範囲が広くない。例えばイスラエル領内に住むイスラエル・アラブと呼ばれるパレスチナ人や、東エルサレムに住むパレスチナ人は、事実上イスラエルの統治権内で普段生活をしており、周囲からの無理解などはあるものの、パレスチナ自治政府からの性的指向や性自認に基づく逮捕や拘留といった公的な抑圧を受けることはほとんどない。一方でいわゆるパレスチナ側とされるヨルダン川西岸地区に住むパレスチナ人も、例えばA、B、C地区で状況は異なるうえに、ハマースの実効支配しているガザ地区では一口にパレスチナと言っても、その置かれている状況はまるで異なる。パレスチナと呼ばれて一般に想像される地域は、現状では一枚岩的に存在するわけではなく、いくつかの行政区域によって状況はまちまちである。そして、いずれの地域も１９６７年以降イスラエルの占領下にあり、「パレスチナ社会」と呼ばれるものに関しても、イスラエルの占領とイスラエルの影響力を排除して語ることはできない。

さらに、この二項対立で見落とされてしまうのは、現在進行中の戦争においてより脆弱な立場にあるのは、パレスチナ人のクィアであるという点である。「モンドワイス」(Mondweiss) など複数のメディアでは、イスラエル国防軍や東エルサレムやヨルダン川西岸地区の特殊作戦を担う部隊が、パレスチナ人の同性愛者を脅し、情報を引き出すための作戦に利用している、と既に報じている。さらに性的マイノリティの支援を行うパレスチナ系団体アル＝カウス(alQaws) は、こうした報道に対し、パレスチナ人のゲイをパレスチナ解放の裏切り者かのように報道してしまう懸念を表明している。イスラエル国防軍が本当にパレスチナ人のセクシュアリティを占領政策に利用しているかは真偽のほどが定かではないし、おそらく今後もイスラエル国防軍が自らにとって都合の悪いこの事実を認めることはないだろう。しかしながらこうした報道が出ること、またこの報道がまことしやかに広まること自体が、パレスチナ人のクィアを萎縮させることは確実である。

おわりに

これまで見てきたように、ＬＧＢＴＱの権利はパレスチナ問題におけるもうひとつの争点となってきた。世界各地のＬＧＢＴＱの権利運動の場で、イスラエルが自国のＬＧＢＴＱに対する寛容さを自らの戦争を正当化するための武器として利用してきたことに対する反発として、表面化してきたのである。この「ピンクウォッシング」がここまで重大な問題として捉えられているのは、「ＬＧＢＴＱにフレンドリーなイスラエル／ＬＧＢＴＱに対して抑圧的なパレスチナ」というしばしば単純化された二項対立的な文化対立かのように理解されてしまうことにある。

本章で筆者が強調したいのは、イスラエルが実はＬＧＢＴＱに対して抑圧的であるとか、反対にパレスチナが実はＬＧＢＴＱにフレンドリーだということではない。イスラエルではＬＧＢＴＱの権利擁護を求める活動家がこれまでも地道に声を上げてきたし、お世辞にもパレスチナ社会がＬＧＢＴＱにフレンドリーだと言える状況にはない。それでもなお、イスラエルとパレスチナのジェンダー・セクシュアリティをめぐる政治は二項対立で片づけられるほど簡単ではない。特にパレスチナとされる地域はとりわけ１９６７年から現在に至るまでイスラエルの占領下にあるのである。その意味ではもしパレスチナ社会がＬＧＢＴＱに抑圧的だという主張が仮に正しかったとしても、そこを占領し実効支配を続けてきたイスラエルの責任は免れない。セクシュアリティをめぐる社会規範や政治は本来人びとの生活に非常に密接にかかわっている。そのようなよりミクロな権力関係に着目することなしに、この地域のセクシュアリティを理解することはできない。

〈保井啓志〉

17 入植者植民地主義とパレスチナの解放

地中海から
ヨルダン川まで

ハマースの攻撃とイスラエルのジェノサイド

２０２３年10月7日、ハマースなどのパレスチナ人の抵抗組織は、イスラエルがガザ地区を取り囲んで建てたフェンスを破壊し、またはそれを空から飛び越えた。そして、近隣のイスラエル軍基地や入植地を攻撃し、約１２００人を殺害し、約２４０人をガザに連行した。それ以降イスラエルは、ガザへの水・食料・医薬品・電気・燃料の供給を止め、広島型原爆2個分以上と言われる大量の砲弾・ミサイルをガザに降り注ぎ、約３万人のパレスチナ人を殺し、６万人以上の負傷者を出している（２０２４年2月現在）。

このイスラエルの政策は、パレスチナ人を集団として破壊する意図をもったジェノサイド（集団殺害／集団抹殺）であると、国際連合の人権専門家や研究者らが指摘した。そして、2023年12月、南アフリカ政府がジェノサイド停止を求め、国際司法裁判所にイスラエルを提訴した。翌年1月、国際司法裁判所はイスラエル政府に対し、ジェノサイドを防止するあらゆる措置を講じ、ジェノサイド実行を呼びかける者を罰するように暫定的に命じた。

では、なぜパレスチナ人の抵抗組織は、10月7日の作戦を実行したのか。なぜイスラエルはガザを封鎖し、パレスチナ人を虐殺し続けているのか。その背景には、どのような原因や問題があるのか。本章では、こうした疑問に答えるためのツールとして、入植者植民地主義（セトラーコロニアリズム）という問題の捉え方を紹介し、それと日本のつながりについて解説する。

入植者植民地主義とはなにか

入植者植民地主義の見方を理解するうえで、まず押さえておくべきポイントがある。それは、パレスチナ・イスラエル紛争は2023年10月7日に始まったわけでないということだ。この紛争の根っこには、シオニズム運動がイスラエルという国をパレスチナに作るため、元々そこに住んでいたアラブ人（以下、パレスチナ人）に暴力をふるい続けてきたという問題がある。10月7日のパレスチナ人の行動は、それに対する反応に過ぎなかった。

この根っこにある問題について、パレスチナ人の歴史家ラシード・ハーリディーは、著書『パレスチナ戦争——入植者植民地主義と抵抗の百年史』（法政大学出版局、2023年）で、次のように述べている。「パレスチナの近現代史は、先住者の意図に反してその郷土を他民族に明け渡すよう強制した植民地戦争と理解するのがもっとも適切である」。パレスチナ・イスラエル紛争とは、「民族主義的な運動であると同時に入植者植民地主義の運動」であるシオニズム運動に対し、先住者のパレスチナ人が祖国防衛と民族自決のために抵抗してきた歴史なのである（10―17頁）。

ここでハーリディーが述べている入植者植民地主義とは、植民地主義（コロニアリズム）のひとつの形である。植民地主義とは簡単に言えば、外から移住してきた入植者がその土地の支配者となり、それ以前から暮らしていた人びと（先住民族）を支配する関係性のことである。そのひとつの形である入植者植民地主義は、先住民族を奴隷のように働かせて利益を得ることを目指すのではなく、先住民族の社会を破壊し、土地から先住民族を追い出し、入植者自身が土着化することを目的とした植民地主義である。ただし、入植者が先住民族を排除しながら経済的に搾取する場合もある。

占領と入植者植民地主義はどのように違うのか

パレスチナとイスラエルをめぐる問題では、入植者植民地主義よりも「占領」という言葉を耳にすることが多い。どちらも似たような問題を表していると思われるかもしれない。しかし、これら2つの言葉の間には、意味と問題意識の違いがある。

イスラエル軍によって拘束されるパレスチナ人青年たち（筆者撮影）

まず、占領とは、主に戦争の結果として、敵国の領土を一時的に支配することである。一方、入植者植民地主義は、外来の入植者がその場所に永続的に留まり、そこの支配者となるため、先住民族の社会を破壊し、住民を追放し、土地を奪うことである。占領と入植者植民地主義は、力による土地の支配という点では共通するが、占領は一時的で過渡的な支配である一方、入植者植民地主義は永続的で恒久的になることが意図された支配であるという違いがある。

植民地主義と入植者植民地主義はどのように違うのか

では、植民地主義と入植者植民地主義の違いは何だろうか。

植民地主義は元々、植民を肯定的に捉える言葉として使われ始めたが、20世紀に入り、他国を植民地にして支配することは、経済的な利益のために行われるものであると見なされるようになった。帝国主義論という見方である。これに伴い、植民地主義という語は否定的な意味で使われるようになった。しかし、この見方では帝国の中心（宗主国）に関心が向いており、移住植民地での先住民族に対する暴力やそれを支える入植者の世界観や入植者社会の仕組みにまで関心が向いていなかった。

それに対し、比較的新しい概念である入植者植民地主義は、移住植民地独自の特徴や入植者と先住民族との暴力的な関係に目を向けた点に特徴がある。移住植民地としては、アメリカ合衆国、イスラエル、オーストラリア、カナダ、ニュージーランド、ブラジル、南アフリカのほか、アルジェリアやジンバブエに存在した白人植民地などがある。

パレスチナ／イスラエル研究における入植者植民地主義の意義

近年、パレスチナ・イスラエル紛争に関する研究では、この入植者植民地主義の見方を採用することが増えている。その理由は何だろうか。

第一の理由は、この紛争を1967年以降の占領の問題としてのみ捉える、狭い見方を克服できるからである。占領を基準とする見方では、この紛争を理解するうえで重要なポイントを取りこぼしてしまう。そのポイントの1つ目は、ヨルダン川西岸地区へのイスラエル人の入植やパレスチナ人に対する人権侵害は一時的なものではなく、先住アラブ人社会を破壊してパレスチナの所有者になろうというシオニズム運動の根本的目標に関わるという点である。これは、シオニスト（イスラエル）が1947年から1948年にかけてパレスチナ人に対する民族浄化

ヨルダン川西岸地区に建設されたシオニスト入植地（筆者撮影）

を行い、難民となった人びとの故郷への帰還を妨げている問題と同じ根をもつ。2つ目のポイントは、イスラエルは占領地だけでなく、1948年に追放できなかった領内のパレスチナ・アラブ系市民にも民族的権利を認めず、土地接収など様々な人権侵害を続けているということである。入植者植民地主義は、これらの問題を1つの歴史と構造として扱い、複雑な問題とされてきたパレスチナ・イスラエル紛争の仕組みと原因を理解しやすくする。

入植者植民地主義の見方が採用されるもう1つの理由は、入植者植民地主義という言葉を使うことで、パレスチナ人がイスラエルから受けてきた暴力と他国の先住民族が白人入植者から受けてきた暴力の共通性がより明確になり、パレスチナ人と世界各地のマイノリティが協力する方法を考えていくことができるからである。

日本とイスラエルの入植者植民地主義

イスラエルの入植者植民地主義は日本人にとって他人事ではない。なぜなら、日本も植民地主義の当事者であり、イスラエルの入植者植民地主義とも直接の結びつきをもつからである。日本は敗戦まで、台湾、朝鮮、中国北東部（満州）などを植民地として支配し、そこに多くの日本人を入植させた。それゆえ、当時の日本では、入植に関わる政策（植民政策）への関心が強かった。なかには植民政策を批判する研究者もいたが、それも帝国主義論に基づく批判が多かった。そのため、移住植民地での先住民族虐殺の問題を正面から扱い、それを日本人の入植と関連付けて論じることは多くなかった。その中で、リベラルとして知られた植民政策学者の矢内原忠雄は、帝国主義的な植民政策を批判するだけでなく、移住植民地での先住民族抹殺の問題にも目を向けた。しかし、パレスチナへのシオニストの入植を支持する立場であったがゆえに、理想的な入植が行われれば先住民族の利益になり、入植者が土着化すればもはやそこは植民地ではないとの主張を展開した。結果、入植者植民地主義の暴力性に対する批判は不十分なままであった。

戦後は、板垣雄三などが、帝国主義と植民地主義の問題としてパレスチナ問題を捉える視点を提示した（例えば、板垣雄三『石の叫びに耳を澄ます――中東和平の探索』平凡社、1992年）。また、大岩川和正は、シオニストの移住植民地を帝国主義の文脈ではなく、それ自体として研究した。大岩川はアイヌモシリ（北海道）への日本人の入植を研究した後、シオニストの入植を研究し

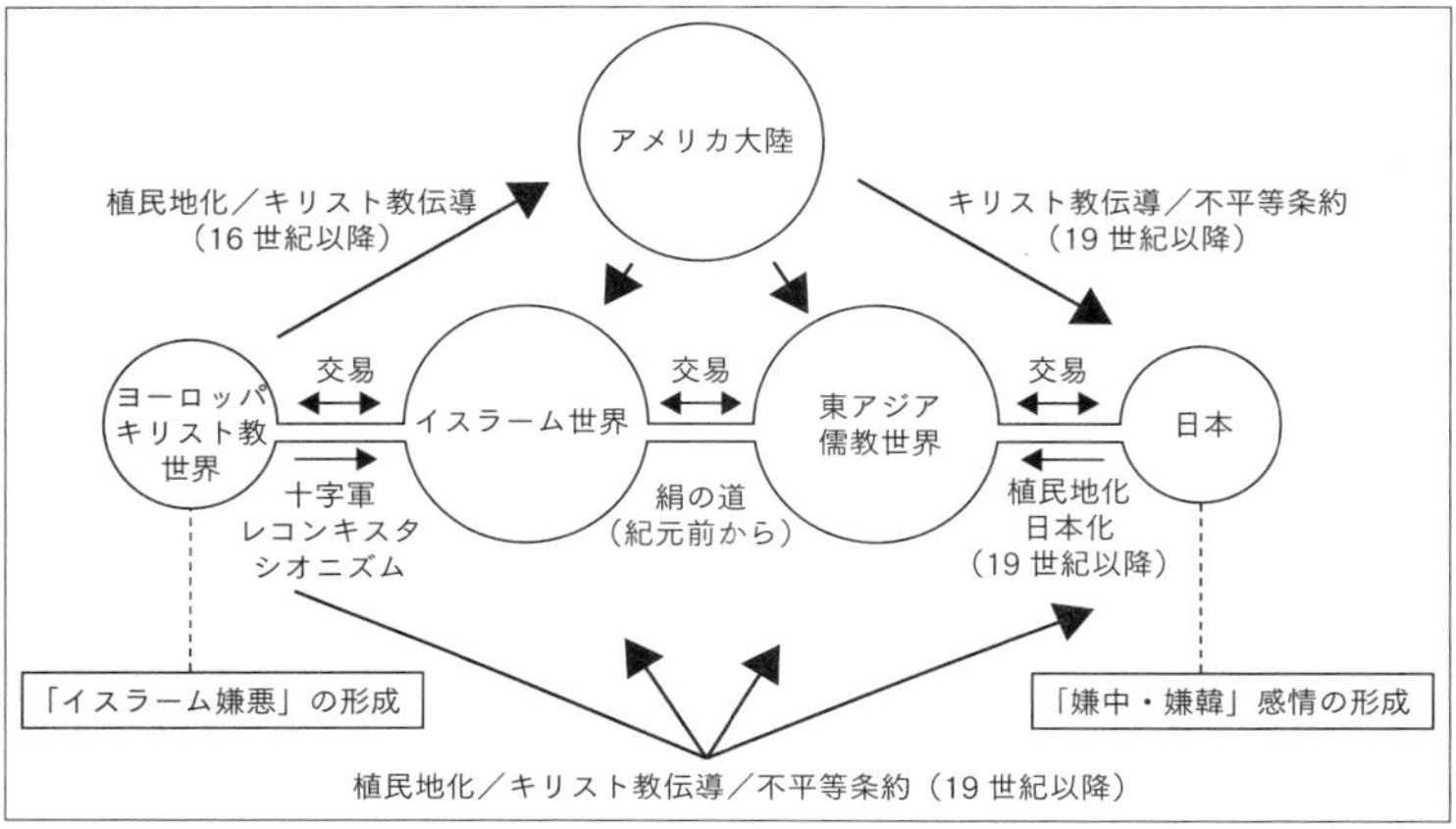

図１：役重が提示した植民地主義伝播のモデル

たことから、両者の類似性や共通性を念頭に置いていたと考えられる。しかし大岩川は、両者の直接的なつながりは論じず、日本人とシオニストの入植を先住民族の視点から考察することもしなかった（大岩川和正『現代イスラエルの社会経済構造――パレスチナにおけるユダヤ人入植村の研究』東京大学出版会、１９８３年）。

最近の入植者植民地主義の研究でも、シオニズム運動の入植者植民地主義とともに、日本の入植者植民地主義に関する研究が蓄積されている。だが、両者は比較の対象にはなっても、そのつながりは考察されていない。その中で役重善洋の研究は、両者のつながりを正面から扱った点で重要である。役重は図１のモデルを使い、両者のつながりを説明した（役重善洋『近代日本の植民地主義とジェンタイル・シオニズム――内村鑑三・矢内原忠雄・中田重治におけるナショナリズムと世界認識』インパクト出版会、２０１８年、３５２ページ）。

このモデルでは、３つの交流や支配の流れが示されている。1つ目は、イスラーム世界と東アジアが、交易を通じて、ヨーロッパや日本といった周辺地域とつながってきた流れである。2つ目は、ヨーロッパのキリスト教世界がイスラーム世界を侵略して植民地化していった流れである。これは十字軍やレコンキスタから始まり、シオニズム運動の入植者植民地主義を生み出した。この流れは、ヨーロッパのキリスト教世界による東アジアや日本に対する植民地化の動きと連動していた。3つ目は、ヨーロッパからアメリカ大陸へと人びとが移動し、先住民族を虐殺・追放しながら入植を進めた後、今度はアメリカ大陸から日本へとキリスト教と植民地主義が伝えられていった流れである。これらの流れの中で、日本は東アジアを植民地化していく側になった。そして、これら2つの流れは1つ目の流れと合流し、ヨーロッパでのイスラーム嫌悪と日本での嫌中・嫌韓感情を生み出した。日本の入植者植民地主義は19世紀より前から存在する問題であるが、他方で、シオニズムと日本の植民地主義は、移住植民地アメリカとヨーロッパのキリスト教世界を媒介としてつながってきたという側面ももつのである。

おわりに

本章で示したように、入植者植民地主義という問題の捉え方は、イスラエルがパレスチナ人の土地に入植を続ける理由と、パレスチナ人がそれに反抗しつづける理由を理解する助けになる。パレスチナ人は、イスラエルによって生命・尊厳・権利を奪われ続ける現状を、「ナクバは続いている」と表現する。ナクバとは、アラビア語の単語で、1948年にシオニストが起こしたパレスチナ人社会の破壊と追放の大惨事を表す。入植者植民地主義という見方は、まさにこの「ナクバは続いている」ということを、違う言葉で言い換えたものである。

最後に、入植者植民地主義の見方に従って、2023年10月7日の事件とそれ以降の展開について、押さえておくべきポイントを述べておく。

1つ目に、イスラエル政府は、ハマースが民間人を惨殺したと世界に印象づけようとしてきた。しかし、移住植民地ではそもそも、軍人と民間人の違いは曖昧である。その理由は、移住植民地では、入植者は先住民族の存在を大きな脅威とみなし、圧倒的な力で彼らを押さえつけようとするためである。イスラエルでも男女ともに徴兵制が導入され、兵役終了後も男性は少なくとも40歳まで軍人である。また、10月7日に攻撃された入植地は、パレスチナ人が故郷に戻ってきたり、植民国家イスラエルを攻撃したりしないように見張り、土地を支配し続けるための軍事施設でもあった。2つ目に、ガザを実効支配するハマースが国境を越えてイスラエルを奇襲攻撃したとの説明があるが、イスラエルとガザの間に設けられた障壁は国境ではない。ガザは、故郷から追い出されたパレスチナ人が押し込められた巨大な難民キャンプであり、世界から切り離されたゲットーである。そして、そのゲットーを実効支配しているのは植民国家イスラエル自身である。3つ目に、10月7日のパレスチナ人の武装蜂起は「テロ」ではなく、入植者植民地主義に対する先住民族の闘いであり、その目的は祖国防衛と民族自決、そして尊厳の回復である。

パレスチナ人に対するイスラエルの差別的な政策と制度はアパルトヘイトの罪に該当すると、国連の人権専門家や人権団体は指摘する。イスラエルはこれに、ジェノサイドという重大な国際犯罪を加えている。これらアパルトヘイトとジェノサイドの根っこには、地中海からヨルダン川までの歴史的パレスチナを領有しようとするシオニズム運動の入植者植民地主義の問題がある。これに対し、世界各地で先住民族や人種的マイノリティ、性的マイノリティの人びとが抗議の声をあげ、パレスチナ解放を求めている。入植者植民地主義が世界各地で、人種差別や性差別と結びついてきたからである。パレスチナ解放は入植者植民地主義の克服を必要とするが、それは国連・国家・市民社会レベルでの差別と植民地主義からの決別をも必要とするのである。

〈今野泰三〉

コラム4

教育と日常

飛田麻也香

パレスチナ人は教育に熱心な人びとであるといわれる。パレスチナ中央統計局（ＰＣＢＳ）によると、２０２１年の国民識字率は97・7％と高い。教育を重視する背景には、教育は将来のよりよい生活を実現するための希望であるとともに、抑圧への抵抗や解放の手段であるという考えがある。一方で、パレスチナの教育制度は、複数の国家による長く複雑な支配の歴史を反映しているといえる。とくにイスラエルによる占領は、現在まで大きな影響を与えてきた。

たとえば、ヨルダン川西岸地区における、多数の検問所や分離壁の建設によるパレスチナ人の移動制限は、児童、生徒、学生、教員の教育機関へのアクセスに日々大きな影響を与えている。短距離の移動のはずが、検問所での尋問や身体検査、身分証の確認などにより数時間かかることもある。パレスチナ人の子どもたちは学校に行くために、イスラエル軍の検問所をときにはいくつも通過しなければならない。検問所では、イスラエル兵による暴行、脅迫、逮捕が起こる可能性があったり、執拗な検査のため授業に大幅に遅れたり、欠席したりといったことが日常的に起きている。また、「安全上の問題がある」などといった理由による校舎の取り壊しによって、パレスチナ人たちが教育を受ける場そのものを失うケースも少なくない。

他方で、東エルサレムは、パレスチナ自治政府とイスラエル政府の双方により教育制度が分割管理されているため、双方の政治的な意図がぶつかり合う場になっている。NGO団体「イール・アミーム」によると、東エルサレムの学校は深刻な教室不足や高い中退率など様々な問題を抱えている。東エルサレムのパレスチナ人は、エルサレム教育局によって運営される公立学校、UNRWAが運営する国連学校、ワクフがパレスチナ教育・高等教育省（MoEHE）と協力して運営している学校、教会や慈善団体が運営する私立学校など多様な学校に通っている。多くの学校ではパレスチナのカリキュラムや教科書が用いられてきたが、それらはイスラエル政府による検閲を受けたものである。たとえば、パレスチナ自治政府のシンボルマークやシオニズムに対する批判的な文言、イギリスの支援を受けたユダヤ人たちによるパレスチナ占領の歴史を説明している章の削除が行われていることなどが指摘されている。削除した箇所は空白のページとなって不自然に残ることから、かえってパレスチナ人たちの反感を買うこととなる。

さらに2018年、イスラエル政府は、東エルサレムに対する21億シェケル（約820億円）を投じた5ヶ年の開発計画を承認した。このうち4億4500万シェケル（約170億円）を投じ、東エルサレムの学校にイスラエルのカリキュラムを導入することが目指された。パレスチナのカリキュラムを採用している学校は、イスラエルのカリキュラムを導入することを条件に、手厚い経済的支援が受けられることとなっている。

『ハアレツ』紙によると、2023年9月の新学期開始において、イスラエルのカリキュラムを用いる学校に入学した東エルサレムのパレスチナ人は18％に達した。これは前年度の16％を上回る数字である。この背景には、イスラエルのカリキュラムを東エルサレムで普及させることが教育格差の縮小につながり、ひいては東エルサレムの住民をイスラエルの労働市場に統合することが可能になる、というイスラエル政府の考えがある。イスラエルのカリキュラムを導入した学校に子どもたちを通わせる保護者の中には、子どもたちによりよい教育を受けさせたり、イスラエルの高等教育機関への進学資格（バグルート）を得られたりすることを期待する人びともいる。

一方で、多くの人びとは、イスラエルのカリキュラムを学ぶことがパレスチナ人の歴史や記憶を失うことにつながり、パレスチナ人としてのアイデンティティが損なわれるという危機感から、拒否する姿勢を示している。2022年7月には東エルサレムでパレスチナのカリキュラムを教えていた6つの学校の許認可が取り消された。さらに、2023年7月14日には、イスラエル国会（クネセト）が、パレスチナのカリキュラムを教える学校に対し、テロリズムを煽動するという口実で国家予算の支出を拒否することを求める法案を予備読会（法律になる前の審査プロセスのひとつ）で承認した。こうしたイスラエルのカリキュラムを強制するかのような政府の決定に対し、パレスチナ人はストライキや修正されていない教科書の無償配布、各家庭

イスラエルの兵士が少年の通学用かばんを検査する様子。ヘブロンにて
(Trocaire from Ireland, CC BY 2.0)

でパレスチナ人アイデンティティを維持するための教育を行うことを通して、東エルサレムにおける教育の「イスラエル化」への抵抗を試みている。

２０２３年10月7日以降、イスラエル軍によるガザ地区の校舎破壊や、入植者による近隣のパレスチナ人学校への放火、イスラエル軍の検問所の封鎖や厳格化によって、東エルサレムの教育機関に通っている教員や子どもたちに影響が出ている、といった報道を目にする。しかしながら、こうしたパレスチナ人の教育アクセスへの阻害をはじめとする諸問題は、昨今に始まったことではない。ここで紹介した例は一部であり、パレスチナ人たちの教育は様々な側面において、イスラエルによる政策の直接的、間接的な関与や影響を免れない状況にある。

コラム5

「非日常」の抵抗——パレスチナと演劇

渡辺真帆

私が初めて演劇の現場に関わったのは2014年、パレスチナ留学中のことだった。ラーマッラーのアル＝カサバ・シアターと日本の演劇人との共作『羅生門｜藪の中』に稽古通訳として参加した。パレスチナ人俳優たちの表現の幅と強度、占領下であえて演劇を選ぶ気概と個性に魅せられ、以来、アラブに限らず演劇に携わることになった。

パレスチナの他のセクター同様、パレスチナ演劇はイスラエル占領下で生き延び、発展を模索してこなければならなかった。1967年の占領後に起こった解放闘争の一翼としての演劇運動は、1970年代に入ると、抵抗の精神を汲みつつ、より前衛的で高い芸術性を志向した演劇へと転換し始める。パレスチナ国立劇場の前身となるハカワーティー劇団を立ち上げ、死後の現在まで多くの演劇人に影響を与え続けるフランソワ・アブー・サーリムや、今も現役で活躍するアル＝カサバ・シアターの芸術監督ジョルジュ・イブラーヒームがエルサレムで活動を始めたのがこの頃だ。正則アラビア語でなくパレスチナ方言を使い、また農村や学校を巡業することで、演劇はより広く、人びとの近くに届くようになった。第一次インティファーダ前の1980年代にかけ、様々なグループが離合集散しながら、イスラエル当局の検閲をかいくぐる種々の試みがなされた。

オスロ体制が成立した1990年代、演劇を取り巻く状況は一変する。パレスチナ政府の文化予算は非常に小さく、チケット収入で興行が成り立つ商業演劇の土壌もないため、劇団は外国の支援に頼らざるを得ず、特に西岸において演劇の「NGO化」が進んだ。社会的ニーズに応える助成を得やすい活動が発展する一方で、欧米ドナーからの「条件付き」援助に抗議する運動も起こった。

長引く占領の暴力や抑圧下に置かれたパレスチナにおいて、ドラマセラピーによる心理ケア、非暴力的な自己表現を通じた若者の情操教育、人権やジェンダー問題に関する意識啓発など、演劇が社会で果たす役割は大きい。フォーラムシアターなど、社会変革を目指す「被抑圧者の演劇」の実践例も蓄積があり、日本の私たちが学ぶ点は多い。一方で、仮に占領がなかったとしても、演劇人は演劇をするだろう。芸術、抵抗、教育、ソーシャルワークといった諸相と、活動を実現可能にする諸条件との間で、絶えず交渉や葛藤をしながらパレスチナの演劇人たちは歩んできたと言える。

外国からの支援の弊害が指摘される一方で、パレスチナの演劇人と世界とのつながりは、イスラエルが流布するナラティブに対抗し、パレスチナ人を「人間化」する重要な国際連帯の場でもある。日本では、これまでアル＝カサバ・シアターやヘブロンのイエス・シアターなど西岸の劇団、またムハンマド・バクリーやターヘル・ナジーブなど48年パレスチナ人のアーティストが来日した他、ガッサーン・カナファーニーらパレスチナ人作家の戯曲の翻訳劇など、様々な企画が行われてきた。コロナ下の2021年、長野県の高校生がパレスチナの若者と遠隔協働で完成させたオンライン演劇『壁と壁』は、新たな交流の可能性を感じさせる。

イスラエル／48年地域では、近年パレスチナを扱う作品への検閲が強まっている。ハイファーのアラブ系劇場であるミーダーン劇場は、パレスチナ人政治囚ワリード・ダッカの著作を基にした『パラレル・タイム』(バッシャール・ムルクス演出)の上演をきっかけに、2015年、イスラエルの公的助成を打ち切られ、やがて閉鎖に追い込まれた。同年、ムルクスらは自らのアンサンブルの拠点となるハシャビ劇場をハイファーに新たにオープンし、独立系劇場として活動を継続している。

パレスチナ人と連帯する稀有なイスラエルの演劇人に、エイナット・ヴァイツマンがいる。日本では2017年に家屋破壊をテーマにした演出作『パレスチナ、イヤーゼロ』が上演され、2023年には、ドキュメンタリー演劇『占領の囚人たち』を名取事務所が上演した。後者は、ユダヤ人であるヴァイツマンが、イスラエルに収監された元・現パレスチナ政治囚らと協働して作り上げた作品で、カメラが立ち入れないイスラエルの刑務所や軍事裁判所を、証言を基に舞台上で再現する。「テロリスト」と一括りにされるパレスチナ囚人の実態をイスラエルの観客に突き付ける原作は、当初イスラエルの文化相が介入し上演禁止となった。その日本版は、制作陣がパレスチナに渡航してリサーチを行い、パレスチナ人俳優カーメル・バーシャー

（映画『判決、ふたつの希望』主演）が出演者の一人として東京の舞台に立った。

バーシャーは第二次インティファーダの頃、イスラエルによる夜間外出禁止令など非常事態が続いた中、ラーマッラーの劇場に日々メンバーで集まって即興の芝居を作り、2週間ごとに新作を上演していたという。新たな非常事態が続く2023年10月以降、そのような活動はないのか尋ねた。「私の知る限り、ない。どんな芸術的なアイディアも、いま現実に起こっていることの圧倒的な醜さに凌駕されてしまう」。

2023年12月、ジェニーン難民キャンプにある自由劇場（フリーダム・シアター）がイスラエル軍に襲撃された。兵士は劇場の施設を荒らし、外壁や劇場内のスクリーンに、スプレー缶でダビデの星の落書きを残していった。芸術監督アフマド・トゥバースィー、プロデューサーのムスタファー・シターらが逮捕され、2024年2月現在、シター氏はまだ拘束されている。

ラーマッラーに拠点を置くアシュタール劇場は、2008年から2009年のガザ攻撃を経験した10代の子ども33人が書いたモノローグ集「"The Gaza Mono-Logues"（ガザ・モノローグ）」を創作、2010年に世界50都市以上で同時上演された。2014年のガザ攻撃時にもモノローグは追加され、2023年10月以降は、同劇場ガザ支部の俳優・演出家・トレーナーであるアリー・アブー・ヤースィーンによるテキストを中心に、モノローグが順次公開されている。アシュタール劇場は世界の演劇人に「ガザ・モノローグ」の朗読とその動画のSNS投稿を呼びかけており、日本でもその声に応える動きが始まっている。

コラム6

日常という抵抗、文学という抵抗

佐藤まな

パレスチナ人の日常は、イスラエルによる占領、そしてそれに対する抵抗と切り離せない。仕事へゆく足取りも、料理をする手も、傾ける茶器さえも、占領と抵抗の中に編み込まれている。パレスチナ人の手による文学にもまた、そのことが深く刻まれている。

ヨルダンの難民キャンプで生まれ、幼い頃にニューヨークはブルックリンへ移住したスヘイル・ハンマード（1973年〜）は、英語で作品を書く難民3世のディアスポラ詩人である。彼女は「post zionism (as it relates to me)」という詩において、自らの母が身支度やパレスチナ料理作りなどの日常をたゆまず繰り返す様子を描き、こう記す。

彼女の呼吸はいつだって
家系だ　深く根差しているのだ　太陽に
土地に

母の「呼吸」――息をするように繰り返される日常の手仕事は、パレスチナの「太陽」や「土地」に分かちがたく結びついた家族の歴史そのものなのだ、とスヘイルは言う。たとえ米国という異邦にあってもパレスチナ人として存在し、生活を続けることは、シオニズムが否定するパレスチナ人の歴史を体現し証明するという、ひとつの抵抗の形なのである。

同じく米国のパレスチナ系詩人であるファーディ・ジューダ（1971年〜）は、「Twice a River」という詩において、生まれたばかりの息子を前にした親としての悩みを吐露する。

この子にどう教えよう
土地のこと 言語のこと 埋葬のこと〔中略〕
息子に教えようか　あらゆるネイションが
大虐殺の跡に生じるということ　私が
どこの国歌もそらで歌えないこと　あと
「私を野球に連れてって」も
そうではなく花や雲の話をすべきなのだろう

スヘイルの詩にあるような身支度や家事が抵抗であるならば、子を育てるという日常もまた抵抗である。米国の地にありながらその国歌や愛唱歌を歌えないディアスポラのパレスチナ人が幼い子どもを教え導くうえで、自らの歴史を語ることは避けて通れない道だ。いや、本当はあえて「花や雲の話」だけをするという選択肢もあるのだが、詩人は迷いつつもそれを選ばない。作品を締めくくる「他者の言語についてとやかく言わず／愛することを学びなさい／その中にいる死者と生者に／静かな祈りを捧げながら」という詩行は、日常という抵抗を我が子にも受け継がせようとする詩人の決意の表れだ。

このような感覚は、パレスチナの地にとどまる文学者にも共有されている。ガザの若き詩人モスアブ・アブー＝トーハ（1993年〜）は、「What is Home?」という詩において、我が子を前にhome――我が家、祖国、あるいは故郷――の何たるかを語る。それは「通学路の木々の影」、あるいは「祖父母の結婚式の白黒写真」、あるいは「母がパンや鶏を焼いてくれたオーブン」であり、そのいずれもイスラエルによって破壊され奪われた。詩は、子が「4文字の言葉にそれが全部入るの?」と尋ねるところで終わる。だが因果は逆なのかもしれない。この地で歴史を超えて紡がれてきた日常がすべて収められているからこそ、詩人の挙げるものはhomeたりうるのだ。だからこそイスラエルはそれらを根こそぎ破壊し、パレスチナ人が生きてきた抵抗の痕跡を消し去ろうとするのだ。

パレスチナにおける日常が抵抗そのものである以上、その只中で筆を執ることは、時に命の危険を意味する。実際、パレスチナを代表する作家の一人であるガッサーン・カナファーニー(1936~72年)は、その筆の力を恐れられ、若くしてイスラエルの諜報機関に暗殺された。2023年10月に始まったガザに対する攻撃の中でも、このことを連想させる事件が次々起こっている。例えば、先述したモスアブ・アブー=トーハは、爆撃を逃れようとしてエジプト国境に至ったとき、イスラエル軍に連行されて暴行された。後日解放されたモスアブへのインタビューからは、詩人として影響力を持ち、SNSを通して攻撃の状況を盛んに発信していた彼の存在をイスラエル軍側も把握していたことがうかがえる。

そしてガザの文学者・教育者・詩人であり、同じくSNSを通した発信を精力的に行っていたリファアト・アル=アリイール(1979~2023年)は、12月6日に爆撃の標的となり、殺害された。リファアトは爆撃のさなかの

2023年11月1日、「If I must die」という1行で始まる英語詩をツイッター（現X）に投稿していた。詩人は綴る。自分が死んだら白い凧を作り、空高く飛ばしてほしい。空爆で殺された父を探して空を見つめる子どもが、「天使が来た」と思ってくれるように——と。終わりの3行には次のようにある。

私が死なねばならないなら、
それを希望にしてほしい
物語にしてほしい

リファアトの訃報が流れたのち、彼の詩が世界にあふれた。抗議集会で掲げられるプラカードに。SNSでシェアされる画像に。街中のグラフィティに。日本語圏でも何パターンもの翻訳が登場し、人びとの心を打っている。このような言葉の力、パレスチナ人の息吹の消えぬ証明をこそ、イスラエルは恐れているのだ。パレスチナ人文学者たちの言葉を読み継ぎ、そこに書かれているものを受け止めて行動することは、私たち日本の読者に課せられた責任といえるだろう。

西岸中部の村の結婚式。新郎新婦の親族が中心で踊る。ホール内は女性のみで、男性の会場は屋外にある
撮影：渡辺真帆

ジェニーンの文化センターに集まった伝統音楽の奏者たち。楽器は左からブズク、ナーイ、ウード
撮影：渡辺真帆

III 日本や世界との関わり

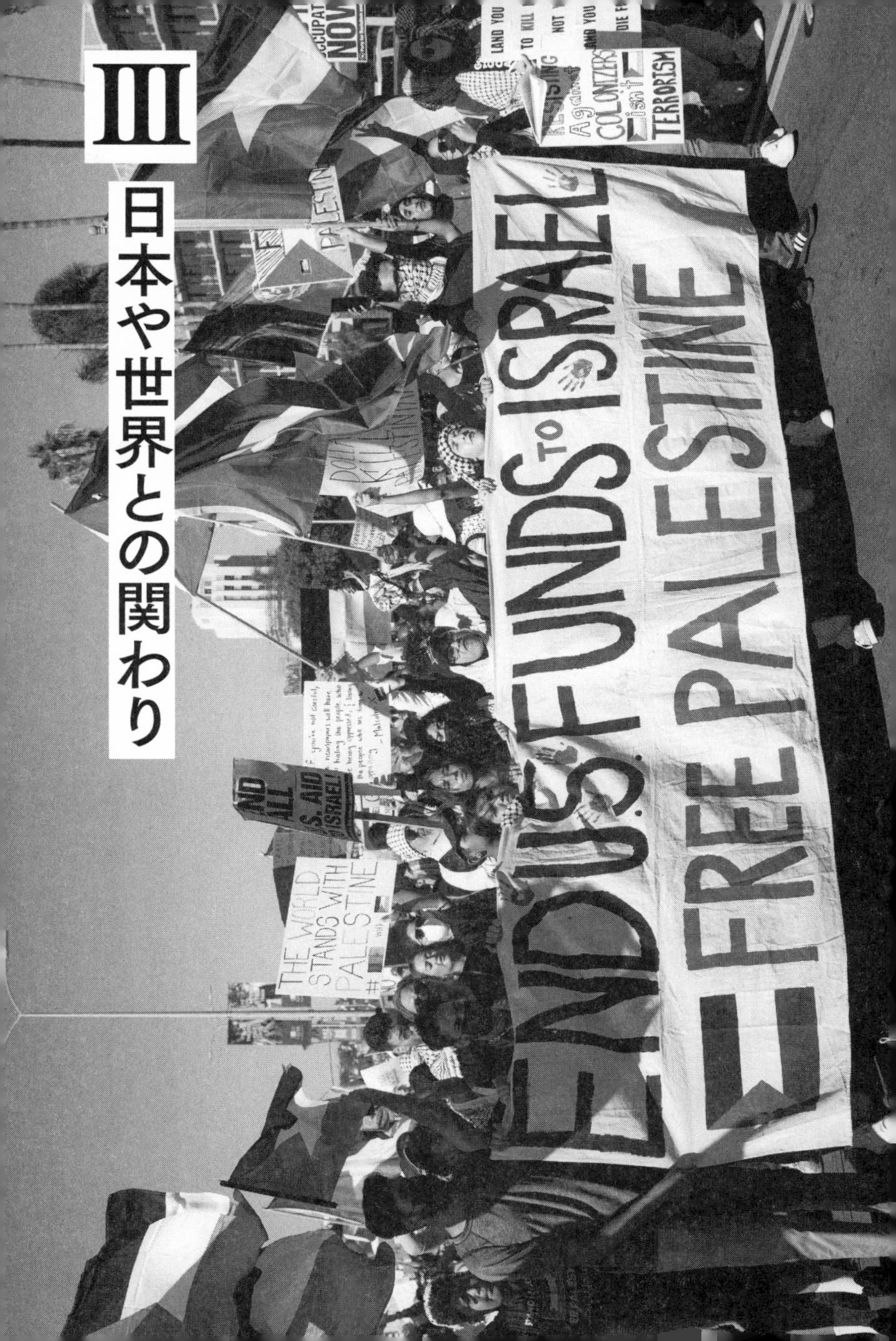

18 UNRWAの活動と日本

70年続いてきた支援

国連パレスチナ難民救済事業機関（UNRWA）の設立経緯と70周年

国連パレスチナ難民救済事業機関（UNRWA）は、1949年12月8日に採択された国連総会決議302（Ⅳ）により、パレスチナ難民のための救済と事業実施を目的として設置された。UNRWAでは、パレスチナ難民（Palestine refugees）の定義を、独自に定めている。すなわち、「1946年6月1日から1948年5月15日までの期間に通常の居住地がパレスチナであった者で、1948年の紛争の結果、住居と生計手段の両方を失った者」である。また、養子を含めて、パレスチナ難民男性の子孫も、UNRWAに対してパレスチナ難民登録が可能である。

日本は、1956年の国連加盟の3年前となる1953年からUNRWAを通じてパレスチナ難民支援を継続して行っており、２０２３年には日本とＵＮＲＷＡの関係構築70周年の節目を迎えた。10月３日に外務省とＵＮＲＷＡの共催により、国連大学で記念イベントを開催し、ＵＮＲＷＡ事務局長、日本パレスチナ友好議員連盟会長、外務政務官、前外務副大臣に加え、ガザからはＵＮＲＷＡの学校に通う３人の中学生を招いて、パネルディスカッションを実施した。日本によるこれまでのパレスチナ難民支援を振り返り、日本に対する感謝を伝えることが目的であった。

2023年10月3日、国連大学での外務省・UNRWA共催のイベント（UNRWA撮影）

ＵＮＲＷＡの特殊性

ＵＮＲＷＡは、国連組織のなかでも非常に特殊な機関である。パレスチナ難民というひとつの難民グループのみを支援対象としていることは、その典型だろう。パレスチナ難民問題が依然として解決されていないことから、ＵＮＲＷＡによる支援は今や4世代にわたる。5つの運営地域（東エルサレムを含むヨルダン川西岸地区、ガザ地区、ヨルダン、レバノン、シリア）において、現在も５９０万人のパレスチナ難民がＵＮＲＷＡに登録され、支援を受けているのだ。

もうひとつの特殊性は、ＵＮＲＷＡがあたかも準行政組織のような役割を求められている点だろう。ＵＮＲＷＡの活動分野は、教育、医療保健、社会保障サービス、難民キャンプのインフラ・環境改善、保護、小規模金融、緊急支援など多岐にわたる。特に、54万人以上のパレスチナ難民の子どもたちが通う700以上の基礎教育を実施する学校、年間約700万人が診療を受ける約140のクリニックを自前で運営し、これらで働く学校の教師や保健員などを含め、約3万人の職員を雇用している。これは、国連機関としては最大規模の雇用者数である。この雇用者数のうち99％以上は、パレスチナ難民自身となっている。ＵＮＲＷＡでは基礎教育に続く高等教育にも力を注いでいる。8つの職業訓練校を5つの地域で運営し、8000人の学生を受けいれることで、青少年の将来の職業機会の増大に努めている。

日本の支援

日本政府の教育分野の重要な支援は、ガザ地区のハーン・ユーニス地区などでのＵＮＲＷＡ学校の建設、改修工事などである。同地区は、「日本村」とも通称されるほど、日本の支援が行き届いている。

また、保健分野では、清田明宏がＵＮＲＷＡの保健局長を務め、保健分野の統括責任者として長年にわたり尽力している。日本政府の支援と相まって、日本からの国際貢献を示す顕著な事例となっている。

表 1：2022 年の上位 10 位のドナー（US ドル）

ドナー	プログラム予算			プログラム以外の予算			合計	順位
	プログラム予算	現物支給	プログラムの総予算	緊急援助要請	syria appeal	計画		
アメリカ	221,971,188	0	221,971,188	53,524,000	65,440,000	3,002,530	343,937,718	1
ドイツ	37,363,434	0	37,363,434	57,298,720	33,371,283	74,020,847	202,054,285	2
EU	100,518,135	0	100,518,135	4,071,459	4,279,066	5,330,490	114,199,150	3
スウェーデン	56,752,648	0	56,752,648	2,480,854	1,617,948	118,536	60,969,987	4
ノルウェー	22,548,515	0	22,548,515	1,162,837	10,469,325	0	34,180,677	5
日本	4,344,999	50,560	4,395,559	16,846,434	5,550,000	3,360,209	30,152,202	6
フランス	24,159,664	16,041	24,175,705	2,119,495	2,173,913	440,725	28,909,838	7
サウジアラビア	27,000,000	0	27,000,000	0	0	0	27,000,000	8
スイス	23,819,475	598,407	24,417,882	0	1,006,036	110,110	25,534,028	9
トルコ	10,000,000	0	10,000,000	15,199,080	0	0	25,199,080	10

出所：UNRWA の資料から

表2：2021年の上位10位のドナー（USドル）

ドナー	プログラム予算			プログラム以外の予算				合計	順位
	プログラム予算	現物支給	プログラムの総予算	緊急援助要請	syria appeal	人道的早期復興の訴え	計画		
アメリカ	169,202,801	0	169,202,801	49,100,000	67,200,000	40,900,000	11,997,199	338,400,000	1
ドイツ	38,411,394	0	38,411,394	60,268,902	35,865,778	12,727,814	29,705,922	176,979,810	2
ＥＵ	104,651,163	0	104,651,163	1,200,835	5,906,652	5,892,585	2,132	117,653,367	3
スウェーデン	48,609,333	0	48,609,333	2,431,020	1,823,265	1,204,964	171,427	54,240,009	4
日本	12,872,353	93,463	12,965,816	20,741,796	3,701,800	0	13,101,098	50,510,511	5
イギリス	29,344,353	0	29,344,353	3,923,912	35,223	6,801,121	0	40,104,619	6
スイス	24,602,111	362,498	24,964,609	0	0	1,632,209	5,052,111	31,648,928	7
ノルウェー	19,208,516	0	19,208,516	1,169,251	8,547,954	939,298	123,549	29,988,568	8
フランス	23,446,659	598,407	23,446,659	879,250	2,951,742	0	680,659	27,958,309	9
カナダ	19,496,344	0	19,496,344	0	4,061,738	3,244,120	812,348	27,614,551	10

出所：UNRWAの資料から

その他、UNRWAは、低所得者層に対する社会保障サービス、難民キャンプにおける小規模道路の整備や下水配管網の整備なども実施している。実際に、最近も日本政府からの支援を通して、ヨルダン川西岸地区で下水配管網整備が実施された。

また職業訓練の分野では、日本政府だけでなく、日本の民間支援も行われており、最近では、日本のある団体が、看護師のための奨学金支援に寄付を行った。

2021年および2022年のデータでも、日本は、UNRWAに対して、それぞれ5番目（約5000万ドル）および6番目（約3400万ドル）の支援総額で、継続的に上位のドナーとなっている。過去2ヶ年の上位のドナーを見ると、歴史的経緯から、欧米諸国によるUNRWAへの支援の実績が顕著であるものの、日本の支援も際立っていることがわかる。

ガザの危機

パレスチナ難民が多く住むガザ地区で2023年10月7日に戦闘行為が開始された。戦闘開始以降、ガザ地区の人口の85%にあたる190万人が避難民となる未曽有の人道危機となっており、1月2日時点では、140万人のパレスチナ避難民が155のUNRWAの学校等の施設に避難していることがわかっている。

戦闘を受け、UNRWAは避難所とその他仮設地域にいる188万人のパレスチナ難民を含むガザ地区の避難民等の人道的ニーズを賄うために必要となる支援物資の供給を目的として

シェルターとして使われている UNRWA の学校。想定される収容人数の４倍以上が退避（ガザ支援のフラッシュアピールより）

４億８１００万ドルの支援を呼びかけている。日本政府は、これに即応し、８万５０００人の避難民への食料や飲料水の供給のため、ＵＮＲＷＡを通した７００万ドルの支援を決定した。また、２０２３年度補正予算でも、ＵＮＲＷＡ支援に３５００万ドルの支援を決定し、ガザ紛争による被災者への食料支援を含むパレスチナ難民に対する支援を拡大している。ちなみに、日本がＵＮＲＷＡへの支援を開始した１９５３年からの支援総額は、10億ドルに到達した。

日本のUNRWA支援の意義

日本の外務省が発行する「令和4年度国際機関等への拠出金等に対する評価」という資料では、日本政府から見た国際機関の評価が行われている。この中で、ＵＮＲＷＡへの評価は、「Ａ」として上位に評価されている。同資料には、ＵＮＲＷＡの支援を通した日本の外交政策の目標として、「自由、民主主義、基本的人権の尊重、法の支配といった普遍的価値の共有や、平和で安定した安全な社会の実現のための支援を行う」との記載がある。また、日本政府の外交目標として、「中東和平実現に向けた当事者同士の交渉再開に向けた関係者への働きかけ、対パレスチナ支援及び信頼醸成のための取組を推進する」との見解も示され、UNRWAが中東和平実現のための信頼醸成に欠かせない存在であることが指摘されている。UNRWAが、国連機関として、パレスチナ難民への保健や基礎教育サービスの提供をするだけでなく、社会保障、高等教育、インフラ整備など多様なサービスの提供を通して数百万人のパレスチナ難民の支援を実現し、中東地域の安定化に寄与していることが、日本政府に高く評価されたのだろう。

日本の国際貢献には、「人間の安全保障」という基本理念がある。日本政府によると、「人間の安全保障とは、人間一人ひとりに着目し、生存・生活・尊厳に対する広範かつ深刻な脅威から人びとを守り、それぞれの持つ豊かな可能性を実現するために、保護と能力強化を通じて持続可能な個人の自立と社会づくりを促す考え方」とされている。UNRWAは、いわばパレスチナ難民に影響する生存・生活・尊厳に対する深刻な脅威から人びとを守り、その可能性を実現するために、保護と能力強化を行ってきた。このことが日本によるUNRWAへの支援と、UNRWAの活動への高い評価につながっていると考えて良いだろう。

70年前に日本政府がなぜUNRWA支援に至ったのかという論考も発表されている（鈴木啓之「UNRWAと戦後日本の歩み」シノドス）。特に、当時の外交文書に「本計画に対してはアラブ諸国は深い関心を示しており、且つ西欧側の国連非加盟国も本年以降に拠出するようになったので、国連協力の意志を表明する見地から、又、アラブ諸国との友好関係維持及び国連におけるその支持を確保する見地よりわが国も相当額の拠出を行うものである」と記載されていることが紹介された。当時から、日本政府は、国際社会及びアラブ諸国との友好関係構築にとって、UNRWA支援が有効であるとの認識を示していたことがわかる。また、単なるエネルギー安全保障などの経済的観点だけでなく、アラブ諸国の多くが日本とは非常に友好的な関係を築いてきており、アラブ諸国との関係を維持するためにも、パレスチナおよびパレスチナ難民支援を継続することが、重要であったと考えられる。

日本とUNRWAの関係性

このような日本とUNRWAの緊密な関係性を物語るように、両者のトップが双方を訪問し、関係強化を図っている。2023年10月には、UNRWA事務局長が来日し、外務大臣、厚生労働大臣、デジタル大臣、公明党代表などパレスチナ支援や人道支援にかかわる政治家と面談した。一方、日本の外務大臣は、2023年11月にヨルダンのUNRWA本部を訪問し、UNRWA事務局長や日本を訪問した3人のUNRWAの中学生に再会するなど、UNRWAへの支援継続を表明した。2023年9月には、カイロにて、初となる「中東に関する日本・エジプト・ヨルダン三者閣僚級協議」が開催され、日本からは外務大臣が出席するなか、3ヶ国外相は、中東和平問題を含む地域情勢について、とりわけUNRWAがパレスチナ難民支援及び地域の安定化に果たす不可欠な役割を強調し、国際社会に対してUNRWAへの支援強化を呼びかけた。

他にも、日本はパレスチナ開発のための東アジア協力促進会合（CEAPAD）の枠組みを推進し、東南アジア諸国等にパレスチナ支援を呼びかけている。UNRWAも同会合の枠組みを通したパレスチナ支援強化を望み、同枠組みでの今後の協力関係強化が期待されている。

ガザ紛争の終息を現時点で見通すことは難しい。しかし、紛争処理の道筋が関係者で議論される時が来れば、「平和構築」は重要な支援課題となる。日本はこれまでアフガニスタンやイラクでの復興を支援してきた経験を持つことから、ガザ地区での復興支援にかかる役割が国際社会から強く待望されるだろう。ガザ地区におけるUNRWAのクリニックや学校は多大なダメージを受けている。日本を含む国際社会による支援ニーズは、今後も期待が大きい。

〈清田明宏・角幸康〉

19 国際ＮＧＯとパレスチナ社会

人びとの暮らしに寄り添って

私がパレスチナに関わり始めたのは、２０１８年夏、現在所属している特定非営利活動法人日本国際ボランティアセンター（以下、ＪＶＣ）に入職したことがきっかけだった。恥ずかしながらそれまでは「パレスチナ問題という言葉は聞いたことがある」という程度だった。この章では、支援活動に従事し、現地に足を運ぶ中で培ってきた経験から、国際ＮＧＯとパレスチナ社会についてお伝えしていきたい。

まずは、パレスチナで活動する国際ＮＧＯがおかれている状況を少しご紹介したい。

国際ＮＧＯがパレスチナで活動するにあたり、占領下にある東エルサレムを含むイスラエル側とパレスチナ側を行き来するためには、イスラエル政府から労働ビザ（Ｂ１ビザと呼ばれる）

を取得する必要がある。そのためにはイスラエル政府にNGO登録をしなければならないが、2014年以降、イスラエル政府はパレスチナ人支援を行う国際NGOの新規登録を行っていない。そのため、2014年以降にパレスチナで活動を始めた団体には、ヨルダン川西岸地区内しか移動できないビザが発行されている（B2ビザと呼ばれる）。B2ビザの場合、出入国には陸路（ヨルダンとの境界）しか使えず、一度出国するとそのビザは無効になり、再び申請が必要となる。なお、国際NGOの職員は、どちらのビザであっても計5年間までしか取得できない。

労働ビザや観光ビザを持っている場合、イスラエル側とヨルダン川西岸地区との行き来には、パスポートとビザがあればバスや車に乗ったまま、あるいは徒歩で簡単に検問所を通ることができるが、ガザ地区との行き来はそうはいかない。ガザ地区に入るには、イスラエル当局に入域許可を申請し、ガザ地区を統治しているハマースの政治部門からもビザを取得する必要がある。さらに、3つの検問所を通らなければならない。ひとつ目はイスラエルのエレズ検問所、次がヨルダン川西岸地区の政府ファタハの検問所、最後がハマースの検問所だ。

帰りは逆の手順を踏むわけだが、行きと帰りで最も違うのはエレズ検問所での荷物検査とX線検査である。大きなトレーに着用している服以外のすべての荷物を入れて、X線の機械を通って外で荷物を待つ。人が少なければ20〜30分ほど、人が多ければ1時間以上待たされることもある。荷物は小さなポーチの中身まですべて出され、ぐちゃぐちゃになって出て来る。ボールペンまで解体されていたこともあったし、飲食物にはすべて小さな穴が開けられて出てくる。

それを受け取り、また一から荷物を詰め直してようやくパスポートチェックを通りイスラエル側に出る。ガザ地区に行く度にこの工程を繰り返すのだ。

これほどではないが、イスラエルの空港から出国する際にも、パレスチナ人支援をしているNGO職員というだけで、運が悪いと長時間の尋問や厳しい荷物チェックを受ける。この国でパレスチナ人支援に携わるには忍耐が必要だ。

国際NGOの活動とその背景

JVCは1992年から30年以上にわたってパレスチナでさまざまな活動をしてきた。ここでは、パレスチナにおける国際NGOの一例として、いまのJVCの活動とその背景を見ていきたい。

現在JVCは現地パートナー団体とともに2つの事業を展開している。

ひとつは、東エルサレムでの職業訓練を通じた女性のエンパワメントである。家父長制の強いパレスチナ社会の中では、決定権が男性にある家庭が多い。外出するにも男性家族の許可もしくは同行が必要な女性も多く、男性が家計を握り、女性が家族や自分のために自由に使えるお金はなく、遺産相続の権利もない。また、女性の中には家計を助けるために外で仕事をしたいと思っても知識や技術を得られる場がない、という理由で諦める人も少なくない。そのため、お菓子・パン作り、メイクアップやヘアメイクなど家庭でもできる技術習得のコースとマーケティングなど小規模ビジネスに必要な知識の習得機会を提供している。

一見すると、この女性たちの状況はパレスチナ社会内だけの問題のように見えるが、この男性優位の傾向は占領下で強化されてきたものでもある。他の紛争地と同様に、土地、家、家族、生活、人権、多くのものを奪われ失い続ける中で、自分たちのアイデンティティを守るため、社会のルールが厳しさを増していくという現象が起きているのだ。パレスチナの人と話していると「20〜30年前はヒジャーブ（女性が髪を隠すための布）をかぶっている女性の方が少なかった」「女性たちはミニスカートをはいていた」「女性も男性と一緒に闘っていた」という話を聞くことがあるほどだ。

家族にとっても、女性が生計を助けられる手立てを持っていた方が良い理由がある。UNDP（国連開発計画）によると、エルサレムのパレスチナ人の約75％は貧困状態にある。イスラエルの実効支配下にあるエルサレムのパレスチナ人は給与の良い職に就くことが難しいうえ、高い税金が家計を圧迫している。特に私たちが活動しているシルワーン地区、アットゥーリ地区というのは、エルサレムの旧市街に隣接しており、イスラエル当局による土地収奪や家屋破壊が頻発している地域であり、いつどの家族にそれが起こってもおかしくない。さらに、イスラエル軍はパレスチナ人（特に男性）をテロ対策の名目で、犯罪の有無に関係なく予防的に拘禁することができ、期間も数日〜数十年とまちまちだ。このように、一家の大黒柱がある日突然いなくなることもあるため、女性も収入を得る方法を持っていることが保険になる。

もうひとつの事業は、ガザ地区での子どもの栄養失調予防と改善および発達の支援だ。ガザ地区は2007年からイスラエルにより陸海空を完全に封鎖され、ヨルダン川西岸地区よりもさらに人や物資の移動が厳しく制限されている。40キロメートル×10キロメートルという小さな地域に220万人が暮らし、失業率は約5割、8割の人が何かしらの支援を必要としている状態で、経済的にも、教育や医療など必要不可欠な分野でも国際支援なしには立ち行かない状況にある。スーパーや商店には品物が並んでいるが、貧困世帯には新鮮な野菜や肉などを購入する余裕はなく、炭水化物などに偏った食生活が続くことで、栄養失調（微量栄養素不足）に陥る子どもが多い。栄養失調のもうひとつの理由として、保護者が子どもの栄養や成長について正しい知識を得る機会がないこともわかってきた。そのため、子どもの健診や子育てのカウンセリングと並行して、保護者、主に母親へのさまざまな子育ての知識を広める活動を続けてきた。しかし、この活動は2023年10月7日以降中断を余儀なくされている。

健診に来た赤ちゃんとお母さん（筆者撮影）

それぞれの事業の目標は違うが、パレスチナの地に暮らし続けたいと願っている人びとの後押しをするということについては一貫している。時々、そんなに大変なら海外に脱出したらいいじゃないかという人がいる。しかし、海外に出ることすら難しいうえ、自分が生まれ育った土地を離れることはそんなに簡単なことだろうか？　しかもパレスチナ人の場合、海外と行き来できるステータスを獲得するのは容易なことではなく、一生戻れない可能性だってある。何よりも、パレスチナ人は何世代にもわたってこの地に暮らしてきたのだ。ひとつのNGOにできることは小さいかもしれないが、人びとの安定した生活や、子どもたちの健康的な成長に寄与することで、人びとがこの地に暮らし続けられるよう支える、それが私たちの活動の大きな目的である。

ボランティアが家の庭で行った、お母さんたちどうしの経験を共有する場、母親サポートグループ（筆者撮影）

現地の人たちの力

支援活動というと「支援する側」と「支援を受ける側」という構図を思い描く人が多いのではないだろうか。しかし、JVCがこれまでともに活動してきたのはすでに自分たちでアクションを起こしてきた人びとだ。自分た

一般家庭で実施した母乳育児についてのワークショップ（筆者撮影）

ちも他のパレスチナ人と同じ立場にありながら、より弱い立場にある人のために尽力する、そんな姿に私たちは勇気づけられ、励まされてきた。NGOの職員だけではなく、特にガザの活動においては、地域住民組織（Community Based Organization：以下、CBO）や一般家庭の助けが必要不可欠だ。健診や講習を実施する場を提供してくれたり、自ら近所の家庭に「この日の何時から健診（または講習）があるから、子どもたちを連れてきて」という声かけをしてくれたりと、CBOや家庭に支えられて活動を継続することができている。

また、パレスチナの人びとは学ぶこと、そしてそれをアウトプットすることに意欲的だ。これもガザの例だが、参加してくれているボランティアの女性たちやお母さんたち向けにワークショップなどを行うと、みんな真剣に耳を傾けている姿が印象的だ。その後、どのように知識を活用しているかと聞くと、家庭での実践だけでなく「結婚式みたいに人が集まる場でも他のお母さんたちに自分たちが学んだことを共有している」「道端で栄養状態の悪そうな子どもを見つけたので、その子の親にアドバイスをしたこともある」と教えてくれる誇らしげな姿が忘れられない。「自分が身につけた知識が人の役に立つことが嬉しい。もっと学びたい」という声もたくさん上がってくる。私はこの姿勢と楽しそうに活動に参加する女性たちを見て素晴らしいなと思うと同時に、占領や封鎖がなかったら、この人たちはもっともっと活躍の場を得て輝いていたのかもしれないと思うことが多々ある。

栄養講習とともに実施した子ども用スープの試食会（筆者撮影）

NGOが抱えるジレンマ

NGOに限らず、国連などを含む人道支援組織は、支援を必要とする人びとのニーズに応えるため日夜活動をしているわけだが、その中でジレンマを感じることもある。支援活動は応急処置と表現されることがあり、自分も痛感するところだ。パレスチナの人びとが抱える問題は、イスラエルの占領という根本的な問題を解決しない限り、終わることはない。そのため、本来は活動と並行してアドボカシー（政治的、経済的、社会的なシステムや制度における決定に影響を与えることを目的とした、個人またはグループによる活動や運動を意味する）を行うことが不可欠だ。しかし、ここでは目立ってそのような活動を行うと、職員の入国や活動に影響が出る可能性がある。そのため、現地で活動している組織は積極的にアドボカシー活動を行うことが難しい。

現地の人の中には、「本来、占領している側のイスラエルが果たすべき責任を支援組織が肩代わりしてしまっているから、いつまでたっても占領が終わらないんだ」という人もいる。確かにそうかもしれない。しかし、75年を経てここまで悪化してしまった問題から急に支援組織が手を引いたらどうなるだろうか。懸念点は2つある。

ひとつは、今この瞬間に、食料・医療・教育などさまざまな分野の支援を必要としている人たちが、何も享受できなくなるという点だ。支援が引いた後、間をおかずにイスラエル政府がすべてのサービスを引き継いで人びとに提供しない限り、最悪の場合、命を失う人が出てくるだろう。もうひとつは、本当にイスラエルが責任を果たすようになるのかという点である。イスラエルは「ユダヤ人国家の設立」を謳い建国され、その後もヨルダン川西岸地区と東エルサレムの土地を収奪し入植地を拡げている。将来的にパレスチナ人をこの地から排除しようという目的は明白である。支援組織の存在は、パレスチナ人が置かれている状況を外に伝える役割も果たしており、その存在が抑止力のひとつになっているという面もあるのだ。その抑止力がなくなった時、本当にイスラエルが責任を果たすようになるのか、大きな疑問が残る。

声高に占領を批判できないことには、フラストレーションが溜まる。しかし、支援を必要とする人を見捨てることはできない。これがこの地で行う支援活動の実情だ。

停戦の後

この章を執筆した2024年3月時点では、停戦の見通しが全く立っていない。イスラエル軍によるガザ全域への激しい空爆と地上侵攻により、ガザの半分以上の地域が破壊され、これまで以上に多くの人びとが命や家族、そして財産や生活する場を失っている。停戦になったとして、一体どれだけの人が自宅に戻ることができるのか、自宅に戻っても生活を立て直すことができるのか、人びとの不安は尽きない。10月7日以前から大変厳しい状況に置かれ続けてきたガザ地区。10月7日以降の攻撃によって破壊された街や生活が以前の状況に戻るまで、一体どれだけの時間がかかるのか、途方に暮れるような規模の被害だ。しかし、パレスチナを守りたい、パレスチナで生きていきたいと思う人びとがいる以上、歩みを止めるわけにはいかない。

〈大澤みずほ〉

20 ガザの商品を扱う

フェアトレードの試み

ガザには紛争や貧困といった悲惨なイメージが一般に浸透するが、地中海沿岸のこの地区は太古よりユーラシアとアフリカ大陸をつなぐ交易の要所として栄えた歴史豊かな海洋都市であった。イスラエル建国の1948年以降も、紛争に翻弄されながらも数多くの優れた職人が工芸品を作り続け、パレスチナの伝統文化を守ってきた土地でもある。

筆者は、2005年以来パレスチナのフェアトレードNGO、スンブラ（Sunbula）の事務局長として多くの現地生産者団体と関わってきたが、イスラエルがガザ地区を隔離し徹底的に経済発展を阻む政策の下でも、そこに住む人たちは生きる糧を得るために懸命に働き、子どもたちの成長や地域の発展のために尽力するのを見てきた。本稿執筆中現在ガザでのジェノサイドは進行中であり、スンブラのパートナー団体の建物もイスラエルの爆撃によって破壊されている。先行きが全く見えない状況であるが、閉ざされたガザ地区と外の世界をつないできた伝統の手仕事やそれを支えてきたフェアトレードの試みを紹介していきたい。

封鎖政策とガザへのアクセス

天井のない監獄と称されるガザ。その境界を占領者イスラエルが包囲し、出入り口となる数ヶ所の検問所も厳しくコントロールしているためだ。封鎖制裁が始まった2007年以前からもイスラエル軍の許可が下りた者のみが越境することができ、物資の流通も限られた品目や業者のみにしか承認されない。ガザから出る許可が下りるのは、人道的理由（例：がんの治療等地区内でできない医療行為を受けるため）や特定の事由がある者のみである。イスラエル領内での労働許可証も常に数に制限があり厳しいセキュリティ審査をクリアした者でなければ発行されない。また、ガザに入ることをイスラエルが許可するのは、国際組織のスタッフ、当局発行の記者証を持つメディア関係者、外交関係者など一握りの外国人に限られている。同じパレスチナ人であっても西岸地区や東エルサレムの住民にガザに入る許可が出るのは非常に稀であり、イスラエル市民のパレスチナ人には禁止されている。戦乱によってガザのこちらと向こうで引き裂かれ何年も家族と会うことができずにいるパレスチナ人の数は計り知れない。

ガザの伝統工芸

ガザ地方の伝統工芸はパレスチナ南部の生活様式や、隣接するエジプトのシナイ半島やネゲブ砂漠のベドウィン文化を反映しながら発展してきた。古くは漁師の網や手漕ぎの船なども職人の手で作られ、鍋や盆、コーヒーポットなど銅製の生活用品も職人によって繊細な模様の施されたものであった。陶芸やガラス細工も現在ではヨルダン川西岸地区のヘブロンが有名であるが、かつてはガザにも何ヶ所もの工房があり、この地特有の黒い素焼きの鉢や壺類は調理用や貯蔵用として使われていた。他にも椰子の葉を編んだ篭細工や隣国エジプトにも見られる幾何学模様のキルティングのタペストリーなども職人の手仕事で作られていた。ウールの絨毯《じゅうたん》もベドウィン女性が羊毛を手紡ぎし、伝統の模様を組み合わせて手織りされたものであった。

これらの伝統工芸は生産手段の機械化や1967年以降の占領政策によって外部市場、特にそれまで開かれていたエジプトへのアクセスが困難になったことで徐々に廃れていった。一方で、地域団体やNGOの収入創出プログラムの一環として社会的弱者の雇用を軌道に乗せ、存続に成功した伝統工芸もある。主に女性の手仕事であるパレスチナ刺繍とマジダル織である。

古来民族衣装を彩った刺繍はパレスチナ文化の象徴であり、その美しさや技術の高さから2021年にはユネスコにより人類の無形文化遺産リストに登録されている。同じ刺繍でも色彩やモチーフには地域ごとに独自のものがあり、ガザ地方ではパレスチナ南部特有の模様が使われていた。1948年のナクバでは、多くの難民と共に各地方の刺繍もガザ地区に入ってきたため、女性たちはパレスチナ広域のデザインを刺繍するようになった。

マジダル織はガザ市にほど近いマジダル市由来の藍染の手織りの布であり、パレスチナ南部ではシンプルな普段着から豪華な婚礼衣装に至るまで幅広く使われていた。20世紀初頭のガザ地方には400人以上の機織り職人がいたとされているが、1948年のナクバで数多くあった機織り工房もマジダル市ごとすべて破壊された。マジダル織の技術は難民としてガザ地区に

スラーファ刺繍センターで刺繍製品の仕上げ縫製をする女性たち（Sunbula 提供）

アトファルナのマジダル織工房（Sunbula 提供）

逃れた職人たちが家業として継承してきた。

雇用と伝統文化を守るフェアトレード

スンブラはパレスチナ各地（東エルサレムを含むヨルダン川西岸地区、ガザ地区、イスラエル内部のパレスチナ人コミュニティ）の23の生産者団体とパートナーシップを組み、製品の直接取引や技術訓練などを通じて、女性や難民、障がいを持つ人など社会的弱者が経済的に自立する支援をしているが、そのうち2団体がガザにあるスラーファ刺繍センター（Sulafa Embroidery Centre）とアトファルナ・クラフト（Atfaluna Crafts）である。スンブラは東エルサレムのシェイフ・ジャッラーフ地区でフェアトレード・ショップとオンライン・ショップを運営し、刺繍製品、織物、オリーブの木工品、革製品、陶器、フェルト製品、アクセサリー類など当地固有の伝統技術や原材料を活かした手工芸を販売している。占領下のパレスチナではガザはもとよりヨルダン川西岸地区においても人や物の移動がイスラエルに厳しく制限されているため、スンブラを通じての販売は生産者にとって貴重な収入源である。こうした市場へのアクセスは、生産者団体の持続可能な運営のためにも不可欠な支援となっている。

ガザの生産者団体

スラーファ刺繍センターはＵＮＲＷＡ（国連パレスチナ難民救済事業機関）の社会サービス事業

の一環としてガザの難民女性の雇用創出を目的にナクバ直後の１９５０年に始動している。ガザの人口の約8割が難民であるが、当時故郷を追われて難民キャンプでの生活を余儀なくされた人びとへの生計支援として多くの女性たちが元々持っていた伝統刺繍の技術を活かして立ち上げた事業である。全8ヶ所の難民キャンプそれぞれにある女性センターを通じて住民たちに刺繍の仕事が提供され、仕上げの縫製と販売はガザ市のＵＮＲＷＡ本部近くにあるスラーファ刺繍センターでスタッフの女性たちが担当する。刺繍を仕事とする女性の数は常時およそ２００人、注文が多い時には４５０人ほどに上ることもある。スラーファの製品は、美しい伝統刺繍をふんだんに施したショールやスカーフ類、クッションなどのインテリア、バッグや化粧ポーチなど小物類などであるが、本来は民族衣装に使われていた刺繍のデザインを上手く現代風にアレンジして製品化している。またスラーファの刺繍職人の技術の高さはパレスチナ全土でもトップクラスに入る。

パレスチナ刺繍の施されたクッションカバー（スラーファ製品）（Sunbula 提供）

一方のアトファルナ・クラフトは１９９２年にガザ市で創設されたアトファルナ聾《ろう》学校のプロジェクトで、大人の聾啞《ろうあ》者の職業訓練と雇用創出を目的としている。聾《ろう》学校と併設して、刺繍、縫製、木工、陶芸、マジダル織、手織り絨毯《じゅうたん》それぞれの工房があり、展示販売のショップもスタッフにより運営されている。100人以上いるアトファルナの職員や職人の40%が聾唖《ろうあ》者であり、刺繍を外部委託される難民キャンプの女性たちも含めおよそ300人が手工芸品によって収入を得ている。アトファルナの製品は見た目の美しさはもとより、手描きの陶器タイルと木工を合わせたインテリア製品や刺繍入りのマジダル織バッグなど、各工房の技術を組み合わせることで多様かつデザイン性の高い製品づくりに成功している。

ガザ製品に立ちはだかる壁

スラーファやアトファルナのようなプロジェクトをガザ地区内の販売だけで経済的に持続させていくことはほぼ不可能である。閉鎖された地域では市場規模が限られていることに加え、貧困率の高いガザ地区では購買力が低く、大量生産品よりも生産コストの高い手工芸品を買うことができる層が限られているからだ。よってガザの手工芸品の存続には外部市場へのアクセスが必須であるが、地区の外からパートナーとして共に仕事をするには常に多岐にわたる困難が伴う。中でも最大の問題は輸送である。スンブラから注文されたアトファルナやスラーファの製品はイスラエルの検問所を経てエルサレムまで運ばれるが、ガザ出入域許可が非常に限られているため到着に見通しがつかず、梱包を乱暴に開けられて中身が壊されていることもある。

そのため発注側としてはオンライン注文への対応や在庫管理が容易ではない。近年パレスチナ側の配送サービス会社にガザからの搬出許可が下りて以前よりは状況がいくらか改善されたものの、送料が国際郵便並みに高額であるためコスト面のハンデがあり、頻繁な検問所の閉鎖のために配達時間は依然として予測不可能である。

またスンブラではヨルダン川西岸地区の生産者団体を対象に技術向上のトレーニングや製品のデザイン開発、機材や材料の購入補助など生産面を強化するためのプロジェクトを行っているが、こうした支援をガザの2団体には提供することができないでいる。ガザ入域許可対象となる国際NGOと違い、パレスチナのローカルNGOであるスンブラのスタッフには許可が下りないため現地に行くことが不可能だからだ。

ガザの生産者団体にとって、外部からの物流が制限され、閉ざされた地域での物作りはたやすいものではない。イスラエルによる封鎖で日々の電力供給に限りがあるため、照明がつかずミシンの電源も入らない停電の時間帯は作業ができない。また、刺繍糸や布地、ファスナーやボタン、木材やネジに至るまでイスラエルの厳しい検問があるため、生産に必要な材料が地区内にすべて揃っていることは少ない。スラーファの場合、国際機関であるUNRWAを通じて材料を購入し地区内に搬入する手段はあるものの厳しい検問を経るのは同様であり、多大な時間のロスを伴う。アトファルナでは陶土をヨルダン川西岸地区ヘブロンの業者から仕入れるが、西岸地区にもイスラエルによる物流の制限や検問があるために二重に入手が困難である。そのため人気商品の陶器が長期にわたって品切れになり、販売の機会が失われてしまう。また、でき上がった製品が検問所を通過する時にもイスラエルによる厳しい制限がかかる。例えばアトファルナで作られるアラベスク模様の木彫りの卓上ランプは電化製品と見なされるため検問を通過することが禁止されており、ガザの外部では販売することができない。

加えてガザは2006年からイスラエルの激しい軍事行動に幾度もさらされてきた。アトファルナやスラーファの施設はこれまでにも空爆による被害を受け、難民キャンプの女性たちも住居を破壊されたり家族を失うなど過酷な状況のもと仕事を続けてきた。また空爆や侵攻の度に学校や職場が閉鎖になり、生活のすべてがストップする状況の中、生産の中断を余儀なくされたり検問所の閉鎖で製品の発送が遅れたりすることもしばしばである。

こうした困難の中から生み出されるガザの手工芸品はしかし、刺繍の技術や縫製の丁寧さ、木工や陶器のデザインの美しさや品質の高さにおいて数あるパレスチナの手工芸品の中でも群を抜いている。スンブラのショップにおいてもガザの製品は最も人気が高く、アトファルナとスラーファの売上は輸送の問題があるにもかかわらず、23の生産者団体の中で毎年トップである。

ジェノサイドと伝統文化壊滅の危機

2023年10月7日以降、イスラエルによる軍事攻撃と徹底的な封鎖により、ガザ地区は前例なき規模の人道危機にさらされている。２０２４年1月に国際司法裁判所がジェノサイド行為を防ぐすべての手段を講じる暫定措置命令を下したが、イスラエルは軍事行動を拡大し状況は悪化の一途をたどっている。戦争開始以来アトファルナとスラーファのスタッフとは連絡がつきにくくなっている。ガザ北部出身のスタッフは現在わかっているだけで全員が住む家を空爆で破壊され、親戚や知り合いを頼ってガザ中部や南部に避難している。両団体ともスタッフの身内に死傷者が出ていると聞くが、生活や通信インフラが徹底破壊されたためにスタッフ同士も連絡が取れず、多くの場合互いの消息が不明であるという。

手描きタイルのコースター・セット（アトファルナ製品、Sunbula 提供）

ガザ市内にあるスラーファ刺繍センターは隣接するＵＮＲＷＡ本部が空爆された際に破壊されたと伝え聞くが、近づくのが危険であるため南部ラファに避難中のスラーファの責任者やＵＮＲＷＡの国際スタッフでさえ確認が取れずにいるという。同じくガザ市内のパレスチナ広場一帯が絨毯爆撃された際に、アトファルナの建物が損壊し内部が黒焦げに燃え尽きているのがソーシャルメディアの画像から確認されている。工芸品の作り手であった職人たちの安否をはじめ、度重なる戦乱を越えて何世紀も営み続けられたガザの豊かな伝統文化が今抹殺される危機にある。

いつか停戦となりガザが再建に向かい、その時仕事を必要とする人たちのためにスンブラはスラーファとアトファルナへ直接支援を継続する姿勢でいる。ガザの伝統文化が生き続けるためにフェアトレードでガザ製品と世界への橋渡しを続けていくつもりである。〈山田しらべ〉

〈ウェブサイト〉
ガザ緊急支援クラウドファンディング　スラーファとアトファルナへの人道・再建支援
https://www.globalgiving.org/projects/gaza-emergency-aid/

21 パレスチナ・ガザ地区での医療援助

国境なき医師団の活動を通して見た紛争地医療の課題

パレスチナ自治区ガザ地区での医療は、多くの非政府組織（ＮＧＯ）や国際機関に支えられてきた。２００７年からイスラエルによる封鎖が続き、さらに紛争が繰り返されてきたことが、その背景にある。物資や人の出入り、電気や水の供給が制限されてきたため、資材や医薬品の入手も自由にままならない。さらに保健省の資金不足も重なり、ガザの医療システムは深刻な影響を受け、常にひっ迫してきた。そういう地で、空爆や侵攻が何度も繰り返されてきた。ガザでの医療援助を通して見た、現状と課題を報告する。

私が所属する「国境なき医師団（ＭＳＦ）」は、パレスチナで紛争の影響を受けた人びとへの医療援助を、１９８９年から続けているＮＧＯだ。ＭＳＦは、独立・中立・公平な立場で、紛争地でいかなる陣営にもつかず、医療ニーズのみに基づいて、命の危機に直面する人びとを援助している。２０２２年、ＭＳＦ日本への寄付金の99・9％が個人や企業など民間から寄せられたものであった。特定の補助金等に頼らず、民間から資金を託されているからこそ、ＭＳＦは常に独立・中立・公平な立場で活動できるのだ。

私は人事・財務のマネージャーとして、２０１８年12月から２０１９年６月、そして２０２３年5月から10月までの2度にわたり、ガザ地区でパレスチナ人スタッフの採用や研修、給与の支払い、支援先病院への人材配置などを担った。その経験から、医療援助活動における多様な人材の重要性を実感した。

紛争によって負傷した人びとは、外傷そのものが治ってもリハビリや心のケアも必要となり、長期にわたるサポートを必要とする。そのためＭＳＦは、外科的治療、理学療法、作業療法、健康教育、心理社会的サポートなど、多岐にわたる援助を続けてきた。２０２３年10月時点でガザ地区にて働くスタッフは３００人を超え、医師や看護師はもちろん、理学療法士や心理士、ドライバーや警備担当者など、多様な役割のスタッフが１つのチームになって活動を行っている。

物資調達もその１つだ。ガザ地区で医療活動を行うには、外科手術機器や麻酔など多くの医療物資を地区外から搬入しなくてはならない。しかしイスラエルの軍事封鎖による制限のため医療物資を簡単に搬入することはできない。そのような状況でも、サプライ・ロジスティシャンと呼ばれる物資調達のスペシャリストが、医療活動に不可欠な物資を調達する。

これらスタッフのおよそ9割を占めるのは、現地スタッフ、つまりパレスチナ人のスタッフだ。彼らの存在なくしては、MSFの活動は成り立たない。活動を中心的に担う重要な存在だ。

さらに医療支援においては、その地域の医療体制の継続性を確立することも重要だ。NGOや国際機関の支援は永久に続くわけではなく、支援が終了すれば現地の人材で地域医療を継続しなければならない。理想的なゴールは、現地の医療ニーズをNGOや国際機関の支援なしで満たす体制を確立できることである。

継続的な医療システムを形成するためには、現地での人材育成が不可欠だ。そのため、MSFは人材育成にも力を入れている。そのひとつに、理学療法士の育成がある。MSFでは紛争による外傷、熱傷患者の治療を長期にわたって行っており、その中で理学療法は患者が社会生活に戻るために必要なリハビリを提供する不可欠な存在だ。リハビリを担う理学療法士のために、外部からガザ地区に専門家を招いて定期的にトレーニングを実施したり、海外での研修に参加できるようにしたりして、サポートしている。

その結果、多くの理学療法士が紛争による外傷に対応する技術を身につけ、現地スタッフだけで質の高い理学療法が提供できるようになった。さらに2022年から2023年にかけて、ウクライナでのスタッフ育成を担う理学療法マネージャーとして、2人のパレスチナ人スタッフを派遣することも実現した。

医療援助とは、医療を提供することにとどまらず、人材を育成し、その人材が自国だけでなく他の国や地域で活躍できるようにするといった、広い視野を持ち続けることが必要だと実感した。

しかし、難しい一面もある。封鎖により経済成長が阻害されているガザ地区では、多くの医療従事者も仕事を見つけることができないのが現状だ。ガザ地区の失業率は50％近くにのぼり、医師や看護師免許を取得しても働き口がなく、医療に従事できない若者が多くいる。MSFが人材募集をすると、1人の募集に対し1000人を超える応募が殺到することもあった。

高い失業率に加え、保健省の資金難のために多くの医療従事者の雇用をNGOや国連の関連組織に依存していることも問題だ。ガザ地区では状況が一時的に落ち着くと、多くの団体が援助プロジェクトを終了する。それに伴い雇用契約が終了し、多くの失業者が生まれてしまうのだ。封鎖により産業が育たず保健省も資金難であるため、外部からの支援がなくなると、次に働く場所を見つけることが難しいのである。

2023年10月の衝突激化前、ガザの人から聞いた忘れられない言葉がある。

ガザでまた紛争が起こるのを待っている。そうすれば多くのNGOや国連がまた雇用してくれるから。

この言葉を聞いたとき、ガザで生きることの難しさを、改めて感じた。紛争が終わっても、封鎖が続く限り、ガザの人びとの生活は、苦しいままなのだ。紛争時には多くの命が失われ、多くの人が負傷し、その後何年、何十年もその後遺症に苦しむことになる。しかし衝突が起こると国際社会からの支援が増えるため、新たな雇用が生まれる。一方で停戦が長く続き、平和な状況になるとその支援が終了し、仕事は見つからない。

「紛争を待ってしまう」というガザの人びとの矛盾した心理状態がなぜ生まれるのかを、国際社会は理解する必要がある。この理不尽な繰り返しが何十年も続き、負の連鎖となり、その結果一番苦しんでいるのは一般市民なのだ。停戦と封鎖の解除がセットで実現しない限り、ガザの人びとが安定した暮らしを送れる日々は、やってこないのである。

これまで述べてきたような多くの困難があるなかでも、ガザの人びとは慎ましく生活を営み、平穏な日常を過ごしていた。街は人びとの活気で溢れ、浜辺や多くのレストラン、そしてカフェで、楽しい時間を過ごす人もいた。

そんな日常が2023年10月7日、イスラエルとパレスチナにおける戦闘の激化により、一瞬にして破壊された。現地にいた私はガザ市民に対する無差別攻撃を身をもって経験し、平和の尊さと、市民の苦しみを改めて実感した。

戦争にもルールがある。国際人道法は、医療施設や学校を特に保護されるべきものと定めている。本来であれば民間人や武器を持って戦っていない人はすべて、戦闘行為から守られなければならない。つまり戦闘の当事者であるイスラエル軍とハマースは、患者や医療スタッフ、一般市民に危険が及ばないようにするため、あらゆる予防措置を講じる責任がある。それにもかかわらず、ガザでは国際人道法は守られず、一般市民が犠牲となり、医療施設が次々と攻撃された。

そして、これまで多くの紛争地で医療援助活動をしてきたＭＳＦですら、この無差別で絶え間なく続く、国際法を無視した圧倒的な暴力の前に、医療活動継続の限界に直面した。負傷者の多さ、インフラの破壊、燃料などの物資の不足、包囲と絶え間なく続く無差別攻撃により、活動は著しく制限され、本来できるはずの医療活動は不可能になった。麻酔も滅菌された手術器具もないまま、重傷を負った子どもたちの手足を切断しなければならないのだ。

紛争地での医療援助の大前提として、国際人道法に基づく医療施設や民間人の保護が必要だ。しかしガザ地区で起きたことはそれに程遠く、医療を提供することも、守られるべき命を守ることもできない状態となった。ガザでは、停戦以外に人びとの命を守る手段はないのだ。

７００床のベッドを持つガザ地区最大の公立病院、シファー病院さえも、戦闘の最前線となった。シファー病院は、外科や救急、産科を備え、多数の重症患者を受け入れ可能な唯一の総合病院。市民が「ガザの心臓」と呼び、よりどころにしている医療機関だった。イスラエル軍突入の直前まで、シファー病院には６００人の入院患者と多くの避難民がいて、毎日空爆による多くの負傷者が運び込まれていた。

イスラエル軍は病院に残る人びとに南部への退避を要求したが、患者を避難させたくても、燃料不足によって稼働できる救急車もなく、歩いて避難しようとして銃撃を受けた人もいた。イスラエル軍が病院の周囲に迫る中、シファー病院にいた医療スタッフは「患者が安全に避難できるまで、自分たちは病院に残る」と全員で決意し病院に残り続けたが、その後、軍の侵攻が進み、病院としての機能を失ってしまった。

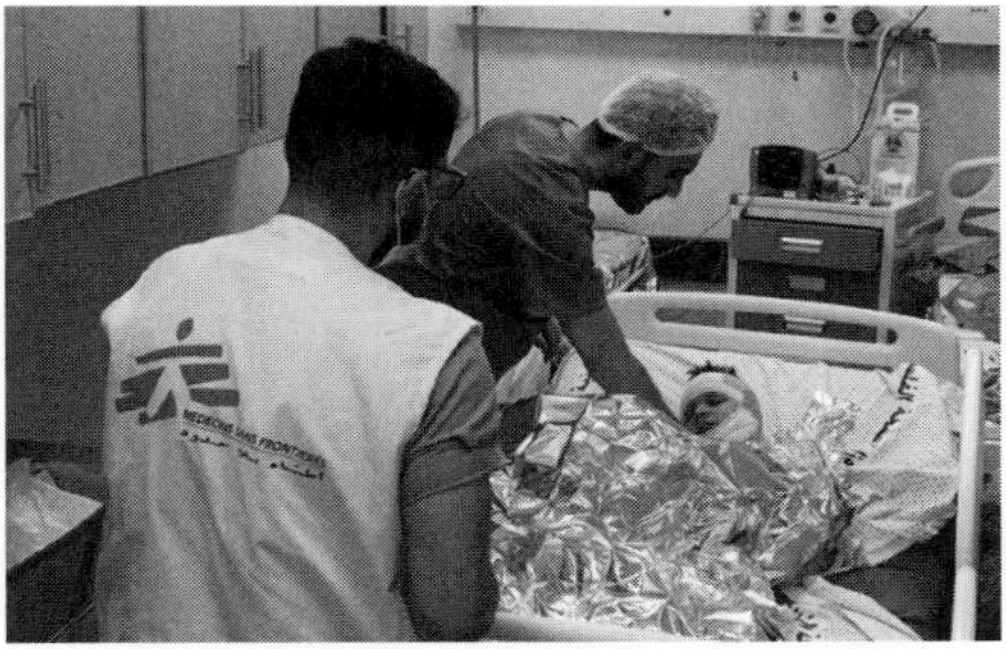

シファー病院で患者を診るMSFのスタッフ（2023年10月19日、© Mohammad Masri）

２０２３年12月末現在で無差別攻撃が収まることはなく、多くの医療施設も攻撃を受け続けている。ガザ地区の人口の８割以上が自宅を追われて国内避難民となり、衛生面、住環境の悪化が著しく、食料や水の調達も難しく、多くの人が飢餓状態に陥っている。

私は日本に帰国してからも、避難所で目にした風景を忘れることはできない。人びとであふれ、数万人が屋外での生活を余儀なくされていた。生活環境は日に日に悪化していき、トイレも数千人に１つ、十分な毛布やマットレスもなく、日々足りなくなっていく食料と水で、どうにか命をつないでいる。人びとが物を取り合う争いや、子どもたちの泣き声が聞こえる。その避難所の近くでも昼夜問わず空爆が続いている。避難しろと言われても、ガザに安全なところなど、どこにもなかった。

紛争は、戦闘や空爆によって死傷するといった直接被害をもたらすだけでなく、医療施設が破壊されたり医療物資の供給が絶たれたりすることにより、地域の人びとの命と健康に長期的な影響を及ぼす。医療施設が攻撃されることで被害を受けるのは、病院にいる患者や医療従事者だけではない。その地域に暮らす多くの人たちの医療へのアクセスが奪われ、命が脅かされていることになるのだ。ガザでは、妊産婦や、がんや糖尿病等の慢性疾患患者など医療を必要としている人が、医療施設を破壊されたことで、医療を受けられなくなっている。そして、もしこうした人びとが医療を受けられないことで命を落としても、メディアで報じられる「紛争による死者」にはカウントされない。

ＭＳＦは11月１日、私を含む外国人スタッフを、ガザ南端のラファ検問所からエジプトに退避させた。私たちに寄り添い、検問所でも最後まで私たちを退避させるべく手を尽くしてくれたパレスチナ人の同僚たちは、今もガザで、十分な食料や水も電気もない生活を続けながら、できる限りの医療援助を続けている。さらにＭＳＦはその後、外国人スタッフで構成されたチームの派遣を複数回にわたり行い、現地スタッフとともにガザ地区での医療援助活動を行っている。ＭＳＦ日本会長の中嶋優子医師も、ガザに入った一人だ。

遠く離れた日本から、ガザにできることはないと思う人は多いかもしれない。しかし、私のパレスチナ人の同僚が一番恐れていることがある。それは「国際社会がガザの中で起きていることを知らずに、自分たちのことを忘れてしまうのではないか」ということだ。

だからこそ私は、いま同じ地球で何が起こっているかを知ることが、私たちにできることの第一歩だと考える。そして、こういった一般市民を巻き込む無差別な暴力は間違っていると、即時停戦に向けて国際社会が声を上げていくことが大切だということを訴えていきたい。さらに、紛争地で医療援助を続けられるように、医療への攻撃の停止を訴えていきたい。無差別な暴力や医療への攻撃が起きているのは、ガザだけではないのだ。

そして、ガザで停戦と封鎖の解除が実現し、パレスチナ全体に真の平和が訪れることを、心から願いたい。

〈白根麻衣子〉

22 国際協力NGOとアドボカシー活動

日本外交への提言

「もしパレスチナに入ってくる支援が全部引いたら、イスラエルがやっていることがどれだけ酷いのか、正しく国際社会に伝わるだろうね。人道危機を防ぐ君たちの支援が、イスラエルによる人権侵害を覆い隠してしまっているんじゃないのか?」

これは2016年に、筆者がヨルダン川西岸地区ラーマッラーで乗ったタクシーの運転手の言葉だ。「支援」という言葉は、いかにも尊いもののように聞こえる。一方でこの場所では、支援すら占領構造と無関係ではいられない。人びとは確かに困窮してはいるが、「支援で暮らせればそれで良い」とは微塵も思っていない。本当に欲しい支援は「占領を終わらせるための働きかけ」だと、東エルサレムで教鞭をとるパレスチナ人教師にもはっきりと言われたことがある。

支援の規模で考えるとき、政府間の援助額に比べたら、国際協力NGOの予算額は小さく、時には微々たるものであることは否めず、持てる影響力にも限度はあるだろう。しかし「非政府」組織であるNGOこそ、政府ができないことに手をつけなければならない。たとえ私たちの政府が何かのしがらみに囚われていたとしても、NGOが同じものに囚われていてはいけない。

政治的な思惑と利害関係が複雑に作用するこの地域で、草の根の声を代弁し「人びとのための政策」を求めるアドボカシー（政策提言）は、NGOが取り組むべき課題のひとつであることは間違いない。占領の終結、封鎖の解除という人びとの本当の願いに寄り添うことなしに、パレスチナの人びとを真に支えることはできないだろう。

2023年10月7日以降は、悪化していく現地情勢に関して、日本の国際協力NGOも停戦や人道支援に向けた働きかけを続けている。これまでに何度もパレスチナ市民に対する攻撃を目にし、人びとの叫びを聞き、そして現場でその手当てに奔走してきたNGO職員には、事件の発生直後から今後のガザへの大規模な攻撃、そして起こる人道危機が容易に予想できた。連休が明けてすぐの10月11日には、現地で活動する団体の中から4団体連名で、「日本のNGOによる外務省への要請文：イスラエル・パレスチナにおける武力行為の即時停戦への働きかけを求めます」という要請文を発出している（特定非営利活動法人国境なき子どもたち［KnK］、特定非営利活動法人日本国際ボランティアセンター［JVC］、特定非営利活動法人パルシック、特定非営利活動法人ピースウィンズ・ジャパン［PWJ］合同名義)。

この声明には、日本のNGO、NPOから合計120件の賛同が集まった。これは国内にあるパレスチナ関係の団体のみで集まる数字では決してない。分野を超えて日本の市民社会全体が、ニュースを受けて情勢の悪化、何より人びとの苦しみを危惧し、現地に寄り添う気持ちを共有していたことがうかがえる。

この声明から、主な要請部分を抜粋する。

あらゆる暴力行為、特に多くの市民を無差別に攻撃する暴力行為を、国際人道法違反として強く非難し、双方の武力行為の即時停止を求めます。また、これらの状況を踏まえ、以下を日本国外務大臣に要請します。

（1）　あらゆる外交的手段を用いて、当事国、国連安全保障理事会、中東カルテット（国連、米国、ロシア、EU）、或いはアラブ諸国が歩調を合わせて調停に乗り出すよう働きかけるなど一刻も早い停戦に向けた日本政府としての最大限の外交努力を求めます。

（2）　封鎖されているガザでは、特に水・食料・医療品といったライフラインの供給がない状態は絶対に避けなければなりません。被災者への一刻も早い救援に向けて、人道的停戦をイスラエル・ハマス側双方が受け入れるよう働きかける外交努力を求めます。

声明を出した後は内容が実現されるよう、多くの方々にそのメッセージを伝えなければならない。特に、外交の方針を決める日本の政策決定者に届ける必要がある。そのため10月20日には、JVC、パルシック、PWJ主催で、議員やメディア、様々な団体を招いての緊急院内集会を参議院議員会館にて企画した。

この院内集会は、場所の調整も含め、思いを共にする多くの国会議員の協力を得て実現している。開催数日前に告知を始めたにもかかわらず、「賛同したい」という議員からの連絡がJVCに次々と入った。また当日は、与野党を問わず多くの議員が出席している。院内集会の様子は、ボランティアでの撮影・中継を快諾くださった方のYouTubeチャンネルにてアーカイブが視聴可能となっているので是非観ていただきたい（https://www.youtube.com/watch?v=x17KbQj0H_Y）。参加団体により様々な観点や知見、懸念からの声明文の発表、ガザ現地の人びとの声の代弁が行われ、国連パレスチナ難民救済事業機関（UNRWA）の清田明宏医師からのメッセージビデオも流された。また、議員によるコメントも行われている。

賛同議員リスト（五十音順・敬称略）：石橋通宏、井上哲士、伊波洋一、打越さく良、大島九州男、大椿ゆうこ、片山大介、岸真紀子、穀田恵二、近藤昭一、高良鉄美、谷合正明、田村まみ、堂込麻紀子、徳永エリ、西村智奈美、山添拓、吉田はるみ
参加団体リスト：JVC、パルシック、PWJ、認定NPO法人ヒューマンライツ・ナウ（HRN）、ピースボート、特定非営利活動法人パレスチナ子どものキャンペーン（CCP）、UNRWA、中東研究者有志アピール

停戦の動きのないまま突入してしまった11月には、7、8日に日本が議長を務めるG7外相会合が予定されていた。前日の6日には再び外務大臣に宛て、6団体合同の声明「NGOによる外務省への要請文：国際会議における「即時停戦」への働きかけ、メッセージの発信を」を発出している。現地活動団体、そして国際法専門団体が集い、KnK、JVC、CCP、パルシック、PWJ、HRNが発出したこの声明には、団体・個人、匿名もあわせて1974件の賛同が集まった。

この声明では、（1）関係者およびG7外相会合などにおける「即時停戦」への働きかけ、メッセージの発信（特に①紛争当事者への国際人道法遵守の要求、特に民間人・民間施設への攻撃、病院・医療従事者・難民キャンプへの攻撃を即時停止すること、②人質の早期解放の要求に言及）、（2）人道物資のアクセスの緊急確保、および人道支援の拡大に向けた人道支援回廊の設置と安全性の確保、の2

点を要請している。

11月10日には、このG7で出された「G7外相声明」を受けて、先の6団体で再び外務大臣への要請文を発出している（「NGOによる外務省への要請文：「G7外相声明」に基づく具体的な停戦へのアクションを」）。この要請文では、外相声明で「人質の早期解放の要求」「人道支援のアクセスの緊急確保、および人道支援の拡大に向けた人道回廊の設置と安全性の確保」の一部が反映された点、またガザだけでなくヨルダン川西岸地区の情勢についても言及された点を評価しつつも、人命救助のために最も重要である「即時停戦」への働きかけが弱いことを指摘した。そして、改めて（1）安全保障理事会での提案を含む「即時停戦」に向けたあらゆる外交努力の継続、（2）ガザの状況が「国際人道法違反」であることの明確な表明、の2点を要請している。

こういった要請文は、外務省には発表当日にFAXで送付し、電話で到着確認を行っている。10月11日の要請文については、送付後すぐに外務省側との面会を打診したが、時間の都合上難しいという趣旨の回答を得た。この件については国会議員にも相談したところ、面会の重要性についての共感を得て、外務省訪問の調整へとつながった。11月1日に、大臣官房参事官、国際協力局第一課課長補佐、国際協力局民間援助連携室首席参事官と会合し、JVCとパルシックから4人が訪問した。当日はNGO側から改めて停戦への働きかけを求めている。

政府の姿勢、対応については、国会議員からも2023年秋の臨時国会で多くの批判、質問が挙げられ、答弁が行われている。多く上がった質問は、以下のようなものである。

・ハマースの行為は非難されるべきだが、イスラエル側の行為もまた「国際法違反」ではないのか？（外相現地訪問中もUNRWAや救急車の車列へ攻撃が起こっていた）
・一時休戦ではなく、即時停戦が必要なのではないか？　即時停戦とは言えないのか？
・人道支援面で、日本政府がさらにできることはないのか？

一点目については特に頻繁に質問が行われたが、回答はいつも「国際法違反であるという確定的判断がつかない」というものであった。これに対しては、議員から「一般市民の犠牲は明らかであり、政治的な思惑から国際法違反として言わないようにしていると思われかねない」といった指摘がなされている（例：11月9日外交防衛委員会、山添拓議員［日本共産党］）。

議員のみならず、市民からも日本政府による停戦への働きかけについて要望が膨らみ、デモやスタンディング、イベントなどがオンラインや対面で続いている。そして特にガザ側での犠牲が日々積み重なる報道が続く中で、政府の答弁は緊急性に欠けるように感じられるものであった。そこで国会議員の方々に改めて相談し、石橋通宏参議院議員（立憲民主党）、井上哲士参議院議員（日本共産党）の協力のもと、12月には国際協力NGOのメンバー、研究者、国会議員、外務省の方々の意見交換を非公開にて行った。NGO・研究者側から事前に外務省側に出された質問は、次のようなものである。

（1）外交全般について、停戦の働きかけを具体的にどのように行っているのか。一時的戦闘休止ではなく、恒久的な停戦にすべきではないか。また、グローバルサウスの国々との協調をすべきではないか。
（2）対イスラエル外交について、核兵器使用について言及したイスラエル閣僚がいたが、日本政府として強い憂慮は示さないのか。エジプトへガザの人びとが追放されるという意図がみられた場合、強い意思表示が必要ではないか。イスラエルの一連の行動や方針は、日本政府の基本的立場と異なるのではないか。
（3）これまでの現地支援について、ODAで支援したもの、人材が明らかに被害を受けているが、その調査を行う予定はあるのか。
（4）今後の現地支援について、さらなる追加支援、予算追加の予定はあるのか。また日本のNGOを活用した支援を検討する予定か。

回答は、会合の場で口頭にて行われた。外務省側からは中東アフリカ局長、国際支援担当を含む5人が出席し、時間の限りはあったものの、国会答弁の場よりも詳細な回答を得ることができた。二国間、多国間の交渉については「外務省が行っている多方面の交渉が、国民には伝わっていない」というコメントが研究者から、また支援については「ラファの検問所の物資通過が滞る中、改善のための働きかけができないか」というコメントがNGO側から出た。対イスラエル外交については、議員からもNGO側からも「国際人道法違反かについては確認できていない」という外務省のスタンスへの批判が相次いだが、ここでも一貫して外務省側は「国際法遵守をイスラエルに対して伝え続けているが、個々の軍事行動の評価は困難」といった回答であった。

この会合の後、「もっと与党に働きかけなくてはならないのでは」という意見がNGOのチーム内部からも出された。「議員にとっては民意が大事。市民社会で民意を示すことができないか」という問題意識から、様々な団体・グループによる合同記者会見を実施するアイディアが出た。そこで、「年内に、停戦を。」というシンプルな共通のメッセージに思いを絞り込み、日本記者クラブが入る日本プレスセンタービルを借りてNGO共同記者会見を行ったのが2023年12月25日のことである。このアクションには、記者会見時点で164団体の賛同が集まった。公益社団法人セーブ・ザ・チルドレン・ジャパン、中東研究者有志アピールの会、PWJ、CCP、特定非営利活動法人国境なき医師団日本、カトリック・ドミニコ会による報告が行われた本会見は、NHK、朝日新聞など、10のメディアに取り上げられている。

この会見には、著名人の方々によるメッセージも寄せられた。「今すぐ、停戦を。」という主旨で、鎌田實さん（医師・作家）、後藤正文さん（ミュージシャン）、SUGIZOさん（ミュージシャン）、七尾旅人さん（シンガーソングライター）、堀潤さん（ジャーナリスト）、湯川れい子さん（音楽評論・作詞家）から寄せられたメッセージは、ＪＶＣの YouTube やウェブサイトから見ることができる。

「年内に、停戦を。」と呼びかけたＮＧＯのみならず、多くの市民が声を上げ、「＃歌合戦より即停戦」といったハッシュタグでＳＮＳに投稿するムーブメント、スタンディングなどが年末年始も続けられていた。しかし、２０２４年３月現在も停戦には至らないうえに、さらに状況は悪化している。

２０２４年1月26日に国際司法裁判所の仮保全措置が出た直後には、ＵＮＲＷＡ現地職員の複数名がイスラエル側への攻撃に関与したとされる問題を受け、同29日に日本政府がＵＮＲＷＡへの３５００万ドルの追加拠出金を一時停止することを発表した。この件についても、市民によるオンライン署名活動が立ち上げられた他、ＮＧＯ側からも「ＮＧＯによる外務省への要請文：日本政府によるＵＮＲＷＡへの資金拠出一時停止の撤回を求めます」という要請文が外務省へ提出され、記者会見が行われた。この要請文は深澤陽一外務大臣政務官にも直接提出され、ＮＧＯとの意見交換の場が設けられた。他にも、与野党を問わず多くの国会議員も訪問し、意見交換を行っている。

またＪＶＣでは、東京大学の渡邉英徳研究室と共に、日本の支援によって建設されたガザ内部の病院や学校等の破壊状況を衛星写真で確認し、ストーリーテリング・マップとして公開した（https://gaza.mapping.jp/）。日本の公的支援案件についても、安全が脅かされ機能停止するレベルの攻撃が行われており、周辺施設を含めた甚大な被害を受けていることが、衛星画像の分析から明らかになった。この情報は多くの国内メディアが取り上げ、国会では塩村あやか議員（立憲民主党）が外交・安全保障に関する調査会で政府に対する質問を上げていた。

パレスチナ問題だけでなくすべての課題に共通するが、こういったアドボカシーの取り組みが実を結ぶには長い時間を要する。時に空振りのような気分になることも正直あるが、この気持ちにはパレスチナの人びと、あるいは運動を続けてきた人びと自身がすでに、処方箋を出している。

「存在することが、抵抗すること（Existence is Resistance）」。この問題に関わる人びとからは、「諦めずに関わり続ける」ことこそ重要だという声が聞かれる。川の流れの一滴として貢献するべく、今後も国際協力NGOは人びとの本音に耳を傾け、声を上げ続けていくだろう。

〈並木麻衣〉

23 パレスチナ勤務の経験から

緊急人道支援から
大規模産業復興
プロジェクトまで

初めてのパレスチナ勤務：機動的な経済協力の実施

私のパレスチナでの勤務は、２０００年から２００３年までと、２０１５年から２０１９年までにわかれている。初めて勤務した頃、まだラーマッラーに日本政府代表事務所はなかった。テルアビブの日本大使館にパレスチナ班があり、そこが対パレスチナ支援を全般的に担っていた。折しもアル＝アクサー・インティファーダ（パレスチナ人による大規模反イスラエル蜂起）が起こり、パレスチナ全土の危険度が引き上げられたことで、ＪＩＣＡのプロジェクト調査団が入ってこられなくなった。その結果、案件形成が困難になり、日本のパレスチナに対する直接支援の多くが滞ってしまった。

最も腐心したのは、そういった時代の逆風のなかで身の危険も感じるなか、日本が対パレスチナ支援においてどのようにビジビリティ（視認性）を保持していくのか、ということだった。基本的に新しいプロジェクトを立ち上げるのが困難な状況下、特に力を入れたのが大使館のイニシアチブで実施可能な草の根無償資金協力という一件1000万円程度のマイクロ・プロジェクトであった。これは、中央政府ではなく、地方自治体やNGO、学校、病院などに、主に建物や機材の供与を行う事業だった。たとえば、病院には医療器材を、学校には教材や増築や、トイレの新設を、1000万円の範囲で可能な支援を数多く行った。

ガザでは、漁業協同組合に魚の鮮度保全に不可欠なアイスメーカーを供与した。地場産業に対する支援である。人道状況が悪化する中、医療分野での支援ニーズは特に高かった。当時のガザの状況は、現況に似て特に酷かった。イスラエルがパレスチナ警察組織を標的にし、とにかく警察に関連するものはすべて、車両も研修所も、警察署も全部破壊した。さらに、ラーマッラーのアラファート議長府もイスラエル軍により包囲された。ナーブルス、ジェニーンではイスラエル軍による大侵攻が起こった。

再びのパレスチナ勤務：JAIPへの取り組み

再びパレスチナでの勤務を始めた2015年には、日本政府代表事務所がラーマッラーに立ち上がっていた（2007年にそれまでガザに置かれていた代表事務所が移転）。この事務所に「大使」

として勤めた私には、いくつかのミッションがあった。まず1つ目は、日本が小泉純一郎政権時代から始めたジェリコ農産加工団地（Jericho Agro-Industrial Park、略称：JAIP）を本格的に稼働させることだった。

JAIPは、パレスチナの独立を見据えて、パレスチナの地場産業の復興を日本が支援する壮大なプロジェクトである。私が赴任したとき、まだパレスチナ人の企業がほとんどJAIPに入っていない状態だった。敷地は広大で日本の支援によりインフラも整いつつあり、すでに太陽光パネルが設置されて、ハンガーも建設が行われていたが、投資家の誘致は遅々として進んでいなかった。そこで、パレスチナ自治政府やJICA、そしてパレスチナのディベロッパーと協力し、いかにしてテナントを増やすかに力を注いだ。例えば、電気代、水道代、投資手続きの簡素化など様々なインセンティブを与えることで、投資家を呼び入れる取り組みを行った。

パレスチナ自治区では、イスラエルから電気を買わせられているために、電気代が非常に高額である。そこで、日本が太陽光パネルを設置することで、JAIPでは電気代を割り引くことにした。水供給については随分と苦労した。死海を望むジェリコ（エリコ）地区では真水は貴重な戦略物資であるため、イスラエルの許可なしには井戸も掘ることができない。長年かけてイスラエル側と交渉した。井戸の掘削問題に関しては、JAIPが当時パレスチナの経済開発に力を入れようとしていたトランプ米政権の注目を引きつけたことが良い形で作用した。トランプ大統領の右腕であったジェイソン・グリーンブラット大統領特別代表が2017年にJ

ＡＩＰを訪問した。「アメリカとしても日本のＪＡＩＰ構想を支持する。何か手伝うことがあったら言ってくれ」との申し出を受けて当方から、井戸掘削問題を提起し、イスラエル側に対する働きかけを要請した。結局それが奏功したのであろう、極めて例外的なことだが、イスラエルがジェリコでの井戸の掘削に許可を出した。日本とアメリカが対パレスチナ支援でひとつの方向を向いた歴史的とも言える出来事であった。

立ちはだかる占領という根深い問題

ＪＡＩＰを推進していく上で痛感したのは、長引くイスラエルの占領下パレスチナにおいては地場産業の裾野や企業カルチャーが育っていないということだった。パレスチナでは資本の集約が行われず、大きな資本も有能な企業人も育っていなかった。産業構造に占める農業の割合は小さく、イスラエル本土への出稼ぎに収入の多くを依存するといういびつな構造になっていた。自ずとサービス部門の割合が大きくなってしまう。第二次産業はほとんどと言ってよいほど育っていない。そのため、単にインセンティブを付与すれば簡単にＪＡＩＰにテナントが入ってくるという状況ではなかった。

そのような状況下ＪＩＣＡの専門家の尽力もあって、正に一から始めることになった。外務省とＪＩＣＡが緊密に協力して、10年以上かけてＪＡＩＰというひとつのプロジェクトを継続して実施したことになる。一過性のものではなく、小泉政権期で立ち上げて、あいだに民主党政権期が入っても継続して、強固な理念の下、一貫して人的・財政的なリソースを振り向けていくことができたのは、他のドナーには真似のできないアプローチだった。

ただ、やはりうまく行かないこともあった。ジェリコにＪＩＣＡがつくった下水処理施設とＪＡＩＰをつなぐ試みは、アメリカ合衆国国際開発庁（United States Agency for International Development、略称：ＵＳＡＩＤ）の協力まで取り付けたものの、トランプ政権がパレスチナ支援を削減したことで影響を受けた。また、在外パレスチナ人のＪＡＩＰへの投資を呼び込む取り組みも、イスラエルへの入国などが障害になり、期待通りの成果は出せなかった。

イスラエルの占領下にあるパレスチナでは何かひとつのことを動かそうとすると、複合的に障害が出てくる。パレスチナ側と話すのはもちろん必要だが、それだけでは物事が動かず、イスラエル側占領当局であるイスラエル軍のほうに話を持っていかねばならない。さらに、ものによってはイスラエル軍当局だけでは動かない。要するに入植者が絡む。特に水は難題だった。入植者を交えた水委員会というのがあり、そこで協議を、となると物事は永久に進まない。

パレスチナに勤務した当時のドイツ大使が、日本のＪＡＩＰへの取り組みには心より敬意を表すると語ったのをよく覚えている。「自分はよく知っている」と言うのだ。「占領下で物事を何かひとつ動かそうとするのが、いかに大きなチャレンジであるかということを」――。パレスチナ勤務の経験者ならではの率直な気持ちが込められていた。

２０１８年5月2日、安倍晋三内閣総理大臣夫妻がＪＡＩＰを訪れた。ＪＡＩＰへの総理訪問は悲願だったのでやはり感慨深かった。２０１９年に私がパレスチナを離れるまでに、ＪＡＩＰのテナント数は20近くになった。さらに、第二期工事も着手され、パレスチナ銀行の頭取に掛け合ってＪＡＩＰの事務棟の中に支店を開設してもらった。

パレスチナ自治政府、イスラエル政府、パレスチナ民間部門、はてはホワイトハウスまで巻き込んでの総力戦となった感があった。

ガザ支援への取り組み

ガザ支援にも力を注いだ。厳しい封鎖が課せられたガザ地区での活動では、人道支援を主軸にハード面とソフト面の双方からのアプローチを試みた。

ハード面で最も象徴的と言えるプロジェクトは、ハーン・ユーニスの下水処理施設だった。ガザにおける下水処理の状況は極端に悪く、汚水の垂れ流しや沼状態の汚水のため池ができていた。２０１９年頃に工事が進み、日本も資金を出した。この下水処理施設も、今回のイスラエル軍によるガザへの攻撃で、被害を受けたと聞いている。

他にも日本は教育・医療分野での支援をガザ地区で行った。特にシファー病院には様々な支援をした。例えば、新生児のための保育器を国際機関経由で寄付した。これによって、ガザの新生児の死亡率が急激に下がった。大型医療機器から消耗品まで様々な機材も供与し、電力不足が深刻な地区では太陽光パネルの設置を含む建物の増改築も行った。特にシファー病院はガザの拠点病院であったので、緊密に連絡を維持しつつきめの細かい支援を行った。

だからこそ、今回の攻撃のなかで、シファー病院が包囲され、イスラエル軍により突入・破壊されたニュースには衝撃を受けた。ニュースの中で、日の丸の付いた新生児用保育器が映っていた。「From the People of Japan」というODAのロゴマークも見えた。他にも、アル＝クドゥス病院といった主要医療機関にも支援を行っていた。

私が対ガザ支援でもうひとつ力を入れたのは、ソフト面である。ガザ封鎖の影響で、若者の失業率が著しく高まっていたので、若者に希望を失わないようにとのメッセージを込めたプロジェクトを実施したかった。特に若者に公の場で自己をアピールし、自信をつけてもらう機会の提供が重要だと感じた。そこで立ち上げたのが「東京リーグ」というサッカーのトーナメントだった。

2009年頃イスラエル軍に壊されたサッカースタジアムが、ガザ地区ラファにあった。このサッカー競技場を修復し、「東京リーグ」で西岸の優勝チームとガザの優勝チーム間での決勝戦を実現するというのが私の目標になった。

私のパレスチナ在勤時代東京リーグは、2017年、2018年、2019年の計3回開催された。2019年にはようやくサッカースタジアムの修復が終わり、西岸の優勝チームをガザに招くことになった。決勝戦が実現するかどうかは、ほとんど神頼みだった。西岸から30人以上の血気盛んな若者がガザに入り、また出ることができるのか——。事前に許可を得ていたにもかかわらず、現場でひっくり返されることは日常茶飯事だった。そのため、西岸の若者たちがガザに本当に入ったと聞いた時は感無量であった。彼らがガザに入るのは生まれて初めて、しかも多くの選手たちは海を見るのも初めてだった。ホスト側が彼らのためにツアーを用意し、海でボートに乗せたりして歓迎した。単なるスポーツ試合の域を超えたナショナルイベントであった。

肝心の決勝戦では、ガザのチームが劇的な逆転勝ちをした。優勝チーム、準優勝チームの祝勝会を開き、「西岸とガザはひとつだ」、「スポーツが民族をひとつにした」、「日本ありがとう」と、パレスチナ人の間でスポーツを通じた同胞意識が芽生えたという意味でも、意義深いプロジェクトだった。

このスポーツ振興プロジェクトは高い評価を受け、次第に卓球やバレーボール、自転車などスポーツ全般を対象とすることになった。さらに障がい者スポーツ振興も行った。

もちろん、人道支援なくしてガザは立ち行かない。長期にわたり、封鎖が続きヒトとモノの出入りが厳しく制限される状況で、ガザの人びとの頼みの綱はやはりドナーからの支援しかない。ガザに支援してもイスラエルが破壊することは目に見えているため、中東和平プロセスにおいて、政治的な解決を図る方が先ではないかとの議論は今まで何回もあった。しかし、そこはガザにおいては人道復興支援なくしては立ち行かない、ガザの人びとに「You Are Not Alone」というメッセージを届けるのはやはり人道復興支援を通じてしかない、として切り抜けてきた。和平に向けた機運を醸成していくためには人道支援は不可欠であると説明してきた。

高まる日本のプレゼンス

日本はこれほどパレスチナに経済支援、財政支援を行ってきたのだから、ぜひ政治分野でもその影響力を活かして、役割を強化することもできるのではないかという声が、常にパレスチナの人びとから聞こえてくる。対パレスチナ支援というコンテクストでは、アメリカはイスラエルに寄りすぎて、パレスチナ側がついていかない面もある。ＥＵはＢＤＳ運動の関係もあって、イスラエル側との関係では微妙な立ち位置となる。一方で日本の立ち位置というのは、アメリカとＥＵの真ん中くらいだと思う。パレスチナ側からみると、バランスが取れていることが、日本のアドバンテージだ。それをテコにして行った典型的なプロジェクトがＪＡＩＰだった。これはイスラエル、パレスチナ双方からの信頼を得ている日本ならではの貢献だ。

加えて日本にはアメリカとの同盟関係という大きなテコもある。実際のところ、先述のように対パレスチナ支援において日米でコラボレーションも行ってきた。では、日本がこれまで培ってきたイスラエル、パレスチナ双方からの信頼を糧に、関係当事者から建設的な関与を一層引き出すような形で、政治的な役割を強めていくことはできないのか。折しも国連の非常任理事国である日本の一挙手一投足が、いま、良くも悪くも注目されている。

〈大久保武〉

24 帝国主義とパレスチナ・ディアスポラ

大英帝国からアメリカ帝国へ

はじめに

現在ガザにおいて前例なき規模で行われている戦争は、パレスチナ人に対するイスラエルのジェノサイド作戦であると言われる。イスラエルはパレスチナ人への攻撃を激化させ、かつてない数の人びとを殺害した。本章執筆中の時点で死者数は3万人を超えたと言われており、その75%が子どもと女性だ。世界中の専門家や人権NGOが、ガザで行われていることはジェノサイドに当たり、そこにはジェノサイドの意図があると述べている。イスラエルはガザの市民の頭上に3万5000トンを超える量の爆弾を落とした。言い換えれば、ガザのパレスチナ人は、1945年8月6日に広島に落とされた原爆の3倍の量にも当たる爆撃を受けていることになる。失われた命、破壊された家々やインフラといった人道的悲劇の規模は計り知れない。この戦争は「病院に対する戦争」とも語られている。なぜならイスラエルは病院や医療スタッフ、医療設備、そして保育器の中の新生児も含む患者に空爆や砲弾を用いた攻撃を直接仕掛け、多くの人を殺しているからだ。ガザにおいて進行するこの戦争を理解するには、大英帝国が作り出し、現在はアメリカ帝国（米帝）が維持している入植者植民地計画の文脈に立つことが欠かせない。1948年のナクバ（アラビア語で「大災厄」の意）から現在まで75年間、パレスチナとその人びとは、シオニストによる収奪、民族浄化、虐殺、そしてジェノサイドにさらされてきた。1948年のナクバは今日この瞬間まで継続している。そのことを明白に表しているのが、ガザとパレスチナ人を標的としたイスラエルによる最新のジェノサイド戦争なのだ。ガザにおけるジェノサイドと市民が直面している皆殺しの危機は、米帝の――そして以前であれば大英帝国の――帝国主義的支援の直接の帰結である。これら2つの帝国が歴史上たゆみなく連続しているからこそ、イスラエルはパレスチナにおいて、今日に至るまで入植者植民地計画を推し進め、民族浄化、集団懲罰、そしてジェノサイドという犯罪を続けてくることができたのである。

イスラエルの味方をし、底なしの武器弾薬支援に加えて外交・金融・政治上の援助も提供しているのが今日の米帝である。後者には国連安保理における停戦案への拒否権行使などが含まれる。現在の米帝による支援がなければ、イスラエルはガザやヨルダン川西岸地区のパレスチナ人女性や子どもに対するジェノサイドを継続できないだろう。本章の目的は、イスラエルに対する帝国主義的支援に抵抗するにあたり、とりわけ米国において、パレスチナ・ディアスポラが果たしている役割に光を当てることである。ここできわめて重要なのは、大英帝国が〔将来の〕イスラエルに対して帝国主義的支援を行っていた20世紀初頭、そして米帝がイスラエルを維持し、とりわけガザのパレスチナ人に対する戦争を継続できるようにしている現代における歴史的文脈を理解することである。

パレスチナ・ディアスポラは、１９４８年あるいは１９６７年にパレスチナから民族浄化された難民の子孫がほとんどである。過去75年間、パレスチナ人は絶え間なく追放ならびに根絶に直面してきた。それは時に武力を用いて行われ、また時にはパレスチナ人を自らの土地から追い出すために作られた植民地主義的な法システムによって行われる。後者はとりわけ西岸地区が好例であろう。世界中のパレスチナ・ディアスポラは、パレスチナのために自由と尊厳を勝ち得るという大義を忘れてはいない。パレスチナ人は、１９４８年のナクバから何十年もの間、解放をなしとげ、奪われた我が家や土地に帰還するのだという決意を抱き続けてきた。米国におけるパレスチナ・ディアスポラは、意識喚起を目指した社会運動で活発に声を上げており、パレスチナにおける現実を一般市民に知らせて米国の政策に影響を及ぼすべく尽力し続けている。パレスチナをめぐる米国の公式政策を揺るがすのはきわめて困難ではある。だが他方では、彼らの積極的な活動によって世論が動いてきた。パレスチナ・ディアスポラは、帝国としてイスラエルを支援する思想を常に拒絶してきた。本章で紹介するケーススタディでは、米国におけるパレスチナ・ディアスポラの行動に着目し、彼らがいかにイスラエル支援をめぐる米国政府の政策に抵抗し、米国の一般市民の意識を喚起することで世論を動かしてきたかを検討する。

ここで重要になるのが、パレスチナの苦境が帝国主義の影響を直接受けてきた歴史的文脈を、それがはじまった大英帝国時代から現在の米帝に至るまで提示することである。ガザに対する今回の戦争は、シオニスト／イスラエルが長らく行ってきた攻撃の新たな1ページに過ぎない。そしてその攻撃は、まずは英国、そして現在は米帝によって支援・維持されているのだ。大英帝国は、1917年のバルフォア宣言から1948年におけるパレスチナの英国委任統治終了に至るまで、イスラエル建国を実現するうえで不可欠な役割を果たした。他方の米国は、第二次世界大戦末期には世界の覇権を握り、英国に代わる新たな帝国として浮上して、イスラエルという入植者植民地計画の帝国主義的スポンサーたる役割を引き継いだのである。アメリカ帝国は今この瞬間に至るまで、無条件にイスラエルを支援し続けている。

歴史的文脈——大英帝国からアメリカ帝国へ

今から1世紀前、パレスチナに戦争と民族浄化、そしてジェノサイドの種を植えたのは大英帝国であった。すべてが始まったのは第一次世界大戦中の1917年、英国政府がバルフォア宣言を発し、パレスチナにおける「ユダヤ人の民族的郷土《ナショナル・ホーム》」樹立を帝国として支持する旨を表明したときである。1918年に第一次世界大戦が終結すると、英国はパレスチナを支配下に置き、「委任統治」なるものを開始した。事実上、パレスチナの植民地化である。バルフォア宣言、そして「委任統治」として知られる英国のパレスチナ占領は、イスラエル国家の建国をアシストするうえでなくてはならないものだった。さらに言えば、パレスチナ人が自らの土地から長らく追放されているのはこのせいでもあるのだ。バルフォア宣言当時、パレスチナにおけるユダヤ人口は、パレスチナ人の総人口の4%に満たなかった。英国はいわばパレスチナ民族の破壊のための「インフラ」を整備したのである。この悪名高き宣言はあらゆるパレスチナ人の記憶に深く刻み込まれている。

実のところ、パレスチナ人が民族の苦境と現在も引き続く暴力・戦争のはじまりとして記憶しているのは、まさにバルフォア宣言が発された11月2日なのである。この日には、バルフォア宣言が何世代にもわたってパレスチナ人の生に悪しき影響を与えていることを知らせるため、パレスチナの地にいる者から離散した者まで、世界中のパレスチナ人が記念行事を行う。パレスチナ人の間でよく言われるのは、バルフォア宣言とは要するに（パレスチナの）土地を所有しているわけでもない英国が、それを手に入れる資格もない者たち（シオニスト）に渡したものだ、ということだ。英国にこのような宣言を発する法的根拠はなく、パレスチナ人は自らの故郷ならびに権利に対する攻撃であるこの宣言に今なお抗議し続けている。パレスチナ人は市民社会、学校、教育機関などを介して様々な形で抗議の意を表する。たとえば筆者がガザ地区で学校に通っていた1970年代においては、11月2日はガザ市やハーン・ユーニス、ラファ、そしてガザ地区中の難民キャンプで抗議行動やストライキが行われる日だった。西岸地区でも同様に抗議行動やデモが行われていた。11月2日前後の数週間は、パレスチナの町や都市、難民キャンプなどにおいて、強烈な緊張状態が継続するのがもっぱらだった。学校はとりわけ児童生徒とイスラエル兵が直接ぶつかり合う場だった。児童生徒たちは、自らとその家族のほとんどが難民と化したことには大英帝国が大きく関わっているのだとよく理解していた。彼らはパレスチナの通りに出て抗議行動を行い、反占領のスローガン、そしてもちろん1917年のバルフォア宣言を拒否するスローガンを唱えて歩いた。ほとんどの場合、イスラエル兵が抗議行動の妨害を試み、学校の内外で児童生徒たちを攻撃した。児童生徒たちが通りで兵士に石を投げたのはこのような文脈ゆえである。デモを前にしたイスラエル軍が複数の児童生徒を殺し、さらに多くを負傷させることもしばしばであった。これらのデモは、イスラエルの軍事占領、そしてそれを可能にした背後の帝国を拒絶せよ、というメッセージを発していた。パレスチナ人に対する収奪と軍事占領は、大英帝国が始め、アメリカ帝国が維持しながらえさせているのである。

第二次世界大戦終結後、米国は世界有数の大国となり、新たなる米帝の時代が始まった。ハリー・S・トルーマン大統領は、1948年のイスラエル国家建国を率先して支援した。米国がイスラエルを建国宣言直後に承認したことはその好例である。のちに「冷戦」として知られることになる米国とソ連の間の地政的争いは、世界を米国率いる西側諸国とソ連率いる東側諸国に分断した。米国はイスラエルを冷戦下の中東における戦略的パートナーと見なしたのだ。冷戦の時代を通じ、米国はイスラエルに軍事的・経済的支援をつぎ込んだ。また国連や国連安保理などでは外交的援護も提供した。イスラエルがヨルダン川西岸地区とガザ地区を占領した1967年の第三次中東戦争中、ならびにその後は、米国のイスラエル支援が著しく強化された。1967年6月から現在に至るまで、米国はイスラエルによる西岸地区とガザ地区の軍事占領を最前線で支援し続けている。この占領は国際法違反である。それにもかかわらず、米国は軍事占領に終止符を打つことも、西岸地区とガザ地区におけるパレスチナ国家の樹立を認めるようイスラエルに迫ることも検討しなかった。今日に至るまで、西岸地区とガザ地区はイスラエルにより違法に占領されていると見なされている。国際法にのっとるなら、イスラエルは占領を終わらせねばならない。またイスラエルはガザ地区および西岸地区においては占領者であり、自衛権を有さないことも言及しておく必要がある。むしろ国際法に基づけば、イスラエルはガザ地区と西岸地区の人びとを保護する義務を有しているのだ。だが米国は、イスラエルのパレスチナ占領が違法であるにもかかわらず、大量の武器や財源、そして外交上の援護をイスラエルに提供し続けているのである。

ドナルド・トランプ政権下、米国はエルサレムをイスラエルの首都として認めることを決め、東エルサレムを将来的な首都と見なしているパレスチナ人を激怒させた。これもまた、東エルサレムを首都とした国家の建設を目指しているパレスチナ人を踏みにじろうという、米帝の新たなる露骨な動きである。また現在のガザに対する戦争はジェノサイドと形容されるが、パレスチナ人は、ガザの人びとを標的としたこの現在進行形のジェノサイドにおいて、主たるスポンサーを務める米国の有する責任を指摘している。ジョー・バイデン大統領とアントニー・ブリンケン国務長官は、戦争の開始時からイスラエルを徹底的に支援し続けている。10月7日はパレスチナのレジスタンスが封鎖下のガザ地区を囲むフェンスを破り、その外にある軍事基地を攻撃した日だが、バイデンとブリンケンはしばしばベンヤミン・ネタニヤフ首相の言うことをそっくり真似し、この日の出来事について嘘を広めている。パレスチナの戦士が赤ん坊を斬首した、女性をレイプしたなどという嘘には、イスラエルがガザの市民を処刑したり、彼らに対する虐殺作戦を正当化したりするための言い訳という印象がある。米国政府と主流メディアはこれらの嘘を後追いし、ガザに対するジェノサイドを正当化するための地ならしを行った。

現状——ガザに対するイスラエルのジェノサイド

２０２３年10月７日以来、ガザに対するイスラエルのジェノサイド的戦争により、約10万人のパレスチナ人が殺されたか、行方不明になったか、負傷させられている。筆者がこれを書いている今日は、ガザに対するジェノサイド的戦争が始まって１００日目だ。ガザ地区で殺されたパレスチナ人の数は3万1497人にのぼっている。人権NGO「ヨーロッパ・地中海人権監視団（Euro-Med Monitor）」によれば、殺された人びとの92％にあたる2万8951人は一般市民であり、うち1万2345人が子ども、6471人が女性、295人が医療関係者、41人が民間防衛関係者、113人がジャーナリストだという。一方、負傷者は6万1079人におよび、何百人もが重傷を負っているとされる。言い換えれば、ガザ地区では100人のうち3人が負傷している計算になる。アルジャジーラによれば、10月7日以来、1000人を超える子どもたちが片脚あるいは両脚を失っている。また何百という数の遺体の回収が叶わず、道で野ざらしになったり、破壊された建物の中に残されたりしているという。救助チームが遺体にたどりつけずにいるのは、周辺エリアや近隣地域にいるイスラエルのドローンやスナイパー、戦車などに襲撃される危険性があるからだ。

これに加え、推定195万5000人のパレスチナ人が住居を去ることを余儀なくされた。ガザ地区の全人口の約85％が自らの住んでいた地域や家を追われたのだ。住宅は空爆作戦のターゲットとされた。ヨーロッパ・地中海人権監視団によれば、完全に破壊された住宅は6万9700軒、一部損傷を受けたものは18万7300軒におよぶ。これらの数字から明らかなとおり、イスラエルはガザのパレスチナ人に対して国際人道法違反の行為を行ってきた。停戦の気配もないままおそろしい規模で日々続く死と破壊を、世界はおののいて見つめるばかりだ。ガザから届く報告や数字が物語るのは、イスラエルは報復しか考えておらず、民間のインフラを破壊してガザにおける生活の息吹そのものを断とうとしていることだ。ヨーロッパ・地中海人権監視団の報告には、イスラエルは「320校の学校、167軒の工業施設、183軒の医療施設（23軒の病院、59軒の診療所、92台の救急車を含む）、239軒のモスク、3軒の教会、170軒の報道オフィスを攻撃した」とある。

ガザのパレスチナ人に対するイスラエルの絶滅戦争は4ヶ月目に入ろうとしているが、このジェノサイド的暴走は明らかに、米国政府がイスラエルに武器・財源・外交上の保護を提供していなければ起こり得なかった。このような米国の立場は、帝国主義的・植民地主義的枠組みを用いなければ理解しがたい。バイデンと彼の政権は、ガザで起こっている厄災に対して直接的な責任を有している。米国のジャーナリストであるジェレミー・スケイヒルは「バイデン政権は大虐殺作戦の主要な政治的・軍事的スポンサーとして揺るがぬ業績を残した」と記している。まさしくバイデン政権は、自らが受け継いだ帝国としての役割、そして英国が果たしてきた同様の役割に忠実に、パレスチナ人からの収奪とその追放を促進してきたのだ。そしてこういったふるまいの最新章といえる現在においては、ガザに対するイスラエルのジェノサイド戦争を綿密に後援することで、その役割を果たしているのである。ガザとパレスチナに対する米国の非道な帝国主義的政策に抗うため、パレスチナ・ディアスポラはデモや抗議行動を行い、米国の政策に立ち向かってきた。

パレスチナ・ディアスポラ――アメリカ帝国への応答

1948年以来、ディアスポラのパレスチナ人たちは民族の大義のために不屈の精神をもって連帯してきた。イスラエルに対する米国の帝国主義的支援に立ち向かううえでパレスチナ・ディアスポラが果たしてきた役割に光を当てることは重要だ。ライラー・カッターマンとディアーラ・シャマスも述べているとおり、米国のパレスチナ人は、自らの国がイスラエルの最も主要な支援者であることをふまえ、米国の帝国主義を問い直し、これに抵抗してきた（ウェブ記事 Kattermann and Shamas, "Palestine Solidarity Crackdown"）。ディアスポラのパレスチナ人ならびに彼らと心を同じくする支持者たちが、米国の都市を含む世界中でデモを行い、停戦とイスラエルへの武器提供の停止を訴えた。デモ参加者たちは週ごとにいっそう勢いを増し、ガザにおける一般市民の虐殺を非難し続けている。とりわけ女性や子どもの死者が増加していること、そして現在進行形の人道的悲劇が世界に暴露されていることがそれに拍車をかけている。

パレスチナ系アメリカ人たちはアメリカの市民社会組織、北米先住民、女性運動、大学のキャンパス、社会正義運動などとの間にネットワークを構築してきた。ねらいは自由と人間としての尊厳、そして正義を求める闘いどうしをつなぐことである。特筆すべき例はブラック・ライヴス・マター（BLM）運動との提携であろう。BLMはその歴史を通してパレスチナ人の権利を強く訴え、ガザにおける停戦要求の運動にも活発にかかわってきている。BLMはパレスチナ人が解放と正義を勝ち得るための正当なる闘いを信じているのだ。パレスチナ・ディアスポラは、パレスチナ人の声を広く届けるにあたり、米国社会における社会運動の中にいる仲間たちとつながって提携を結ぶことの重要性を強く認識しているのである。

パレスチナのBDS（ボイコット・資本引揚げ・経済制裁）運動においては、米国の様々な州に支部が立ち上げられ、イスラエルの占領と違法行為に対して平和的な手段を用いた抵抗が促されている。また、ミシガンなどの州におけるパレスチナ系・アラブ系市民の票は、大統領選の結果を左右するとみなされている。バイデンは2024年の再選を狙っているが、彼とその選挙運動チームにとっては、米国の選挙において「激戦州」として知られるミシガンでの敗北が予測されていることが大きな懸念となってきている。また、米国の主流メディアでパレスチナ人の声が届けられない中、パレスチナ・ディアスポラはSNSを活用したり、正義の実現を目指す仲間たちと協力したりして、パレスチナ人の声やナラティブを届けている。

とはいえ米国のパレスチナ・ディアスポラ、そして彼らと連帯するパートナーたちの前には、深刻な困難が立ちはだかる。カッターマンとシャマスが述べるとおり、これらの困難はしばしば制度的で、公の場には立ち現れず、ゆえに抑圧的である。FBIがパレスチナ人の声を抑え込むべく動いてきたことはその一例だ。連邦機関であるFBIは、パレスチナ人に「自主的面接」なるものを求めてきたのである。また米国の警察機関は、パレスチナ系アメリカ人を監視するための計画をたびたび立てている。

さらにパレスチナ系の研究者や米国の大学でパレスチナ人の権利のために声を上げる人びと

は、ハラスメントや脅迫、「反ユダヤ主義者」だという弾劾、孤立、失職やキャリアの断絶といった危険にさらされている。これらの危険は研究者だけでなく、パレスチナを支援する姿勢を積極的に表明する学生にもおよんでいる。最近のとりわけ目を引く事例は、ハーバード大学およびペンシルヴェニア大学の学長らの辞任であろう。米国でも傑出した高等教育機関であるこれら2つの大学は、キャンパスでパレスチナ支持の意見表明や活動を許可したがゆえに、議会ならびにメディアから激しい圧力を受けたのだ。米国における大学のキャンパスは「毒」と形容しても過言ではない環境になってしまった。学生も教員も職員も、ガザとパレスチナにおけるジェノサイドと残虐行為への抗議を表明するのに必要な自由を有していないからだ。米国の研究者や学生たちはパレスチナ人の権利のために声を上げることを恐れて暮らしている。これはカナダでも同様である。

それにもかかわらず、コロンビア大学の高名なパレスチナ人歴史家ラシード・ハーリディーなどといったパレスチナ系の研究者たちは、非主流メディアにおいてかなり積極的に声を上げている。その多くが署名集め、地元の議員や市議会への抗議の手紙の送付などといった形で、ガザにおける停戦を要請し、正義を求めている。

ポッドキャストやウェブサイトなどといったパレスチナ人によるローカルなイニシアチブは、米国内外に彼らの声を広く響き渡らせている。これは露骨にイスラエルを支持する主流メディアに立ち向かおうという果敢な動きだ。多くのパレスチナ人は主流メディアを、嘘や誤情報を広めることでガザに対するジェノサイドに共謀する存在と見なしている。このような嘘が作り出した不正なナラティブは、イスラエルとその帝国主義的スポンサーたる米国に採用され、イスラエルが虚言や誤情報に基づいてジェノサイドを行うことを可能にした。エレクトロニック・インティファーダ（The Electronic Intifada：ＥＩ）やパレスチナ・ポッドキャスト（The Palestine Podcast）などといったパレスチナ系アメリカ人の活動は、ガザで進行する出来事を報道・論評・分析し、大いに役立つ情報を提供してきた。とりわけエレクトロニック・インティファーダのウェブサイトおよびポッドキャストは、ガザの現場にいるパレスチナ人の学生、ジャーナリスト、アクティビストたちの物語や声を報じることに注力してきた。彼らは米国の読者や視聴者のために自らの経験を記し、エレクトロニック・インティファーダのウェブサイトで公開しているのである。

おわりに

１９４８年の排除と追放から現在のガザにおけるジェノサイドに至るパレスチナのジレンマとその歴史的苦境は、主に大英帝国と米国という2つの帝国によって下地作りがなされ、支持されてきた。軍事、経済、外交、その他あらゆるレベルにおける二国の「組織的な」支援がなければ、イスラエルは、パレスチナ人の追放からジェノサイドまで、延々と罪を犯し続けることはできなかったであろう。パレスチナの地では、パレスチナ人たちが軍事的抑圧ならびに彼らの生と土地の違法な占領に抗い続けてきた。パレスチナの外にいるパレスチナ・ディアスポラも、自らの故郷を、そして自由・尊厳・正義を求める闘いの正当なる大義を忘れたことはない。米国のパレスチナ・ディアスポラは、自らの立場やナラティブを語って世論に影響を与えることで、最前線において米帝に抵抗してきた。米国におけるディアスポラはBLMやアカデミアなどといった市民社会やローカルな運動との接続が不可欠であることを認識している。パレスチナのBDSは、企業や組織にイスラエルをボイコットするよう促し、米国の多くの州で大きな支持を得てきた。

米国におけるパレスチナ・ディアスポラの投票行動は、一部の州における米国大統領選を左右する。これは今年（2024年）の選挙結果に大きくかかわることだろう。バイデンならびに民主党は、トランプに敗北する可能性に直面し、選挙について少なからぬ懸念を抱いている。バイデンのガザ政策は、パレスチナ人やアラブ系アメリカ人、そしてバイデンの方針に反対する進歩的なアメリカ人の若者たちが不満や怒りを抱く大きな要因となっている。パレスチナ・ディアスポラは米国の主流メディアの腐敗をよく認識しており、代替的な報道発信源の構築を積極的に行っている。広いリーチをもつSNSにより、かつて不可能と思われていたことも可能になった。インターネットや動画、ポッドキャスト、ウェブサイトなどといった技術が活用できるおかげだ。目指すのは、多元的な市民社会や運動を数多く、かつ集合的に創出・維持して、米国社会を帝国主義という「がん」から解放することだ。この「がん」は、ガザにおけるジェノサイドなどの形をとり、米国外で死や悲劇を引き起こしているだけでなく、米国社会の内部における貧困者や権利を否定されている人びとに向けられたはずのリソースを奪ってもいるのである。

米国の主要都市ではホームレス人口が増加している。中間層の米国人もまた1ヶ月分の給料がもらえなければ家を失いかねない状況にいる。医療にアクセスできない人びとも何百万人といる。それにもかかわらず米国は、年間何十億ドルという資金や、ガザの罪なき人びとを殺す武器・ミサイル・爆弾などを際限なく提供し、イスラエルを支援し続けているのだ。平均的な米国人にとってみれば、この何十億ドルもの金は彼らの福祉や住宅供給、冬に暖を取れる場所の提供、子どもたちのための食料などに使われるべきものだろう。だが帝国はこれらのリソースを注ぐ先を逸らす。そしてハーン・ユーニスやラファ、ガザ市などに死と破壊を輸出し、戦争が他域へと拡大することが危ぶまれる不安定な状況を生み出し、瀬戸際政策を推し進めている。ことによっては世界戦争の引き金を引く可能性すらあるだろう。

これは米国の権力エリートとその取り巻きたちへのメッセージだ。ワシントンDCやロンドン、ベルリンなどにいるエリートたちは、世界のためになる力ではない。この世界秩序は秩序立ってもいなければ、正義にのっとったものでもない。米国とイスラエルは少数派であり、さらに言えば孤立している。最近の国連安保理ならびに総会において出された停戦決議案への投票結果からもそのことは明らかだ。人類の大多数はパレスチナ人とその正当なる大義の側に立っている。米国とイスラエルこそ常軌を逸した倫理なき少数派なのだ。パレスチナ人はパレスチナのために闘い続ける。この不正義が続く限り。自由と尊厳を勝ち得るその日まで。

〈イヤース・サリーム／佐藤まな訳〉

ベツレヘム「ザ・ウォールド・オフ・ホテル」付近の分離壁（2019年）
撮影：飛田麻也香

コラム7

14歳のパレスチナ難民が日本に伝えたこと

新田朝子
石黒朝香

日本がUNRWA（国連パレスチナ難民救済事業機関）への支援を始めたのは、UNRWAの活動が開始されて間もない3年後の1953年。これは日本が国際連合に加盟した1956年の3年前のことだ。

これまでの日本による支援の内容は多岐にわたるが、中でも教育分野では、パレスチナ難民学生の教育の質の向上を目的とした、さまざまなプロジェクトに資金を提供してきた。例えば、日本はUNRWAが運営する小中学校やその他の公共サービス施設で、古く劣化した施設・設備の補修・改修工事の実施に対する財政的支援をしてきた。

ガザ地区南部のハーン・ユーニスでは日本の資金で学校、住宅、ヘルスセンターなどが建てられた「日本地区」と呼ばれている場所もあり、東日本大震災後の2012年から毎年3月には被災地を思う凧揚げを実施し、日本への絆を示してきた。

長年にわたる日本の支援はUNRWAにとって非常に貴重なもので、UNRWAにおける日本の信頼は確固たるものである。2023年は日本とＵＮＲＷＡの関係構築70周年を記念し、糸のつながり、つむぎ、織りを象徴する日本語「つむぐ（Tsumugu）」をテーマに、日本とＵＮＲＷＡのパートナーシップによって生み出される豊かなタペストリーを表現するため、ガザ地区や日本の国連大学などでのシンポジウム他、数々のイベントを展開した。

その70周年記念事業の一環として、ガザ地区のＵＮＲＷＡ学校の生徒３人を日本に招致することになった。

９月28日、中学生たちはガザ地区を出発。イスラエル、ヨルダンを経由し、３日かけて日本にようやく到着した。長旅で疲労困ぱいだったが、初めてガザ地区の外の空気に触れ、夜中になっても興奮冷めやらぬという感じで、翌朝も我々日本人スタッフが彼らからのメッセージで起こされる始末だった。

滞在最初の４日間は、ＵＮＲＷＡ事務局長と共に政府要人や議員を訪問し、国連大学で開催されたシンポジウムでもスピーチ、パネリストとして参加者に向けて強い思いを投げかけた。

滞在の後半は広島を訪問。到着初日は平和記念資料館を見学した。歴史の授業で原爆投下の事実は知っていたようだが、中に入ると、冒頭の展示ですでに衝撃を受けた。必ずしも原爆による悲惨な被害に圧倒されたからではない――破壊された広島の風景が、過去に見たことのある景色と似ていたからだ。一部の中学生は途中から足を進めることができず、展示室を出なければならなかった。たとえ14年の人生で５回も戦争を経験しているとはいえ、人間が作り出す悲惨な事実はどんな形であれ14歳の彼らにとって精神的ショックであり、フラッシュバックのように蘇る。しかし、少し休むと、また展示室

広島の原爆ドームにて（筆者撮影）

に戻っていった。日本に来て、自分たちには目で見て学ぶ義務があるという決意を再確認したかのようだった。

見学直後に、メディアの取材が控えていた。もし難しいならお断りすると伝えたが、結局少し時間をおいて出てきた後、彼らは多くのメディアの前で堂々と話し、ガザの状況と資料館で感じたことを上手く絡めて紹介した。

翌日は、広島の武田高校および舟入高校の生徒らと交流会に参加した。両学校からは大変手厚いおもてなしをいただき、また生徒からもガザ地区に対する高い関心を寄せていただき、短時間ではあったが同年代同士のとても有意義で深い交流会となった。

中学生らが日本の聴衆に向けて一貫して強調していたことは、主に以下の点だ。1つ目に、ガザは戦争が多いけれど、もちろんそれだけじゃなく、我々のような普通の若者が住んでおり、我々も将来の夢を持って向かっているということ。2つ目に、ガザの人は他の国の子どもたちと同じように才能や能力を持っている、ただそれを活かす・伸ばす機会がないだけだということ。3つ目に、78年前に日本が受けた経験は今のガザと同じ、そこから日本は復興した、ガザにも未来があると学んだ、ということ。

かなりタイトなスケジュールで後半はスタッフ共に気力を振り絞っての日程だったが、中学生たちの気丈な姿勢、大人顔負けの英語力と発言力、ガザの子どもたちを代表して何かを伝えるのだという強い決意に、終始感嘆させられ続けた。彼らにとってもこれまでとは違う世界を学ぶ機会になっただろう。紛争下で生きる14、15歳の子どもたちの苦悩に加え、希望や夢が1人でも多くの日本で出会った人たちに伝わっていたら、ガザの状況を知ってもらえるきっかけになったらと、我々スタッフも願う。

ガザで戦闘が始まった10月7日のその瞬間、ガザの3人の学生とUNRWA職員は広島での行程を終え、東京に移動する新幹線の中にいた。突如、筆者の左隣に座っていた教員が携帯を見ながら涙を流し始め、筆者の携帯にもイスラエルへのロケット弾の飛来を警告するスマートフォン向けアプリ、レッドアラートの通知が多数来た。右隣に座っていた学生もSNSなどで状況を知り、泣いている教員を横目に、「War seems to be started again(戦争がまた始まっちゃったみたい)」とスマートフォンでタイプした文字を私に見せてきた。

その日、彼らは上智大学で最後のトークイベントに参加する予定だった。状況を考慮し、登壇しなくてもいいと伝えると「日本の人たちにメッセージを届けることは私たちの役目。だからここにいるんだ」と我々の不安を吹き飛ばすかのような返事でステージに向かい、立派なスピーチで会場を沸かせ、日本訪問を締め括った。

コラム8

転換期にあるＢＤＳ運動

ＩＣＪ暫定措置命令と対イスラエル武器禁輸

役重善洋

２００５年7月、１７０以上のパレスチナの市民社会組織が連名で、国際社会に向けてイスラエルに対するボイコット（Boycott）・資本引揚げ（Divestment）・制裁（Sanctions）を呼びかけた。こうして始まったＢＤＳ運動は、まず欧米諸国で取り組みが拡がり、現在は国際的なパレスチナ連帯運動の中心的アジェンダとして、グローバルサウスを含めた世界各地にネットワークを広げている。

例えば、ドイツに本拠地を置くスポーツ用品メーカーのプーマは、２０１８年にイスラエル・サッカー協会（ＩＦＡ）とのスポンサー契約を結んでから間もなく、ＢＤＳ運動の主要ターゲットとなった。ＩＦＡにイスラエル入植地のサッカーチームが複数参加していることが主要な批判点となり、多くのスポーツチームがプーマとの契約を中止したり、あるいは契約を行わないという宣言をしたりした。キャンペーンには欧州各国の市民グループを中心に、日本や南アフリカなどアジア・アフリカ地域のグループも加わった。２０２０年にはカタルの名門サッカーチームが、さらに２０２１年にはマレーシアのマラ工科大学の公式サッカーチームが、それぞれ地元の市民社会組織からの要請に応じ、プーマとの契約を更新しないことを発表した。

2023年10月7日、ハマース等ガザの武装勢力による越境攻撃を契機としてイスラエルによる苛烈なガザ攻撃が始まると、世界各地での抗議運動の拡がりと共にBDS運動の動きも活性化した。11月にはアイルランド最大のスポーツウェア販売店オニールがプーマの商品の販売中止を決めた。翌月、ついにプーマはIFAとの契約を2024年に終了する決定を行ったことを公にした。

イスラエルのガザ攻撃に対して世界中の市民社会から沸き起こった強い抗議の声は、グローバルサウスのイニシアチブと連動しながらBDS運動の在り方を大きく変えつつある。2023年12月、南アフリカは、イスラエルのガザ攻撃がジェノサイド禁止条約に違反しているとして国際司法裁判所（ICJ）に提訴した。2024年1月、ICJは、イスラエルがジェノサイドを犯している可能性を前提として、ジェノサイドを防止するためのあらゆる措置を取ることを命じる「暫定措置命令」を出した。これまでのBDS運動は、プーマの例に見られるように、ボイコット（B）と資本引揚げ（D）を中心に展開しており、制裁（S）については本格的な取り組みに至っていなかった。しかし、このICJの措置命令は、国際法上、法的拘束力をもつものであり、イスラエルに対する制裁を現実化する突破口になり得る。

というのも、ジェノサイド罪が、国連憲章によって制裁措置発動の条件とされる「平和に対する脅威」を構成するという認識は冷戦後の国際政治の中ですでに定着していることだからである。2013年に成立した武器貿易条約においても、武器移転を禁止する要件のひとつとしてジェノサイドが挙げられている。実際、ICJが措置命令を発出して以降、ベルギー、イタリア、スペイン、オランダにおいてそれぞれ武器輸出の禁止措置が取られるか、あるいはすでに取られていることが明らかにされた。また、日本においても伊藤忠アビエーションと日本エヤークラフトサプライの2社がエルビット・システムズ社と交わしていた協業覚書（MOU）の終了を発表し、それがICJ措置命令を踏まえての判断であることを明らかにした。

イスラエルに対する武器禁輸は、1982年に国連総会決議が採択されるなど、早くからその必要性が言われ続けていたにもかかわらず、米国による巨額の対イスラエル軍事援助と安保理での拒否権発動に阻まれ、実現の見通しを立てられずにきた。他方、イスラエルは1990年代以降、軍需産業の民営化とグローバル化を推進し、非欧米諸国に対する武器の輸出拡大に力を入れてきた。その結果、イスラエルの武器輸出は、とりわけアジア・中東地域で急増し、過去10年で輸出額は倍増、全輸出額の1割近くを占めるに至っている。その主な製品は、無人機やミサイルシステム、レーダー・電子戦システムなどで、「実地試験済み」であることが重要な付加価値として売り込まれてきた。統計上武器とされないサイバーセキュリティ製品など、デュアルユース技術においてもイスラエル軍との連携が「エコシステム」として宣伝されていることを考えると、イスラエル経済は、パレスチナ人に対する軍事的抑圧と一体化していると言っても過言ではない。

日本では、長らく武器輸出三原則による規

制があったことなどから、イスラエルとの武器取引は事実上存在しなかった。ところが、2014年、F35戦闘機の共同開発への日本企業参画が、イスラエル、すなわち三原則が禁じる紛争国への武器輸出をもたらす可能性があるという問題を回避するために三原則は事実上撤廃されてしまった。その直後、イスラエルのネタニヤフ首相が来日、日本とイスラエルとの包括的パートナーシップを謳う共同宣言が出され、両国関係は急速に接近していった。上述したエルビット・システムズ社と日本企業とのMOUもこのような文脈の中で結ばれたものであった。

さらに深刻なのは、デュアルユースの問題である。例えば、ファナックという日本企業は、イスラエルや欧米の軍需企業にロボットを販売している。ウクライナ戦争以降、需要が逼迫している155ミリ榴弾砲の製造過程においてファナック製ロボットを米英仏の大手軍需企業が揃って導入している。生産された砲弾の一部はイスラエルに輸出されガザ攻撃に用いられている。日本の輸出管理制度は、このような企業のジェノサイドへの加担を規制できる設計にはなっておらず、早急な対策が求められる。

以上の記述をより大きな政治的文脈から位置付けるとすれば、米国の覇権退潮に伴うグローバルな地政学的変化に対し、市民社会による非暴力的なイニシアチブを通じて新しい世界を構想しようとする動きと、軍事力依存で既成秩序を維持しようとする権威主義的な動きという2つの方向性が目立つようになってきていると言える。ガザの凄惨な状況が、歴史の流れをどちらの方向に向かわせつつあるのか、まだまだ予断を許さない。

コラム9

『ガザ　素顔の日常』上映と映画の力

関根健次

ブルドーザーでガザ地区とイスラエルを隔てる境界のフェンスをハマースが破壊し、イスラエルに人びとが侵入している様子をSNSで驚きと共に目撃したのは10月7日当日夕方、韓国で開催された釜山国際映画祭に出席するために同国に到着した頃だった。起きていることがとても現実とは信じられなかった。映画祭の最中も事態の成り行きが気になり、ずっと情勢を追い続け、少しずつ事の重大さを把握していった。翌日、日本国際ボランティアセンター（JVC）広報担当で元ユナイテッドピープル社員でもある並木麻衣さんから短いメッセージが届いた。

関根さん、ガザの映画、オンライン上映会とかできませんか。私もできることをしますので……。

さかのぼること1年前の2022年7月、ユナイテッドピープルは創業20周年を迎えていた。創業を記念して、ユナイテッドピープルの原点とも言えるガザに関する映画を配給しようと出合ったのがドキュメンタリー映画『ガザ素顔の日常』で同年7月2日に劇場公開した。この作品の字幕監修をお願いしたのが並木さんだった。

本作は2人のアイルランド人監督によって2019年に制作された作品で、映画タイトルの通りガザの日常を生きる普通の人びとの暮らしを描いている。それはタクシーの運転手、女子大学生、その母親、理髪店の店員、漁師の子どもたちやサーファーなどである。紛争地としてのイメージが強いガザにも、世界のどの街角とも変わらない日常があることを伝えたいと監督たちが人びとにフォーカスを当てた秀作だが、ガザで撮影をしていると戦争とは無関係ではいられない。イスラエルによる経済封鎖に苦しみながらも小さな幸せを見出そうとたくましく生きる人びとの姿を捉えながら作品は進んで

『ガザ 素顔の日常』ポスター

映画『ガザ 素顔の日常』より。チェロを弾く女子大学生のカルマ。彼女はその後、外国人と結婚したため外国のパスポートを使い国外に避難。
© Canada Productions Inc., Real Films Ltd.

いくが、途中突然の戦争が勃発し、世界で最も人口が密集しているガザの人びとの頭上に爆弾が降り注ぎ、多くの犠牲者が出る様子（２０１４年）も描かれている。まさに10月7日以後始まった戦争と重なるような状況だ。この映画を観たら、ガザの人びとの境遇や痛みを身近に感じずにはいられないはずだ。

僕自身も考えていたことではあるが、並木さんの要望を受け速やかに『ガザ 素顔の日常』を緊急再上映することにした。まずは緊急特別オンライン上映会を10月14日に開催した。東京大学特任准教授の鈴木啓之さん、ＪＶＣ並木麻衣さん、パレスチナ子どものキャンペーン（ＣＣＰ）手島正之さん、国連パレスチナ難民救済事業機関（ＵＮＲＷＡ）職員の吉田美紀さんが上映後に登壇したこの緊急イベントには、今ガザで起きていることが知りたい、何かがしたいとわずかな告知期間にもかかわらず１２９５人が参加し、チケットに寄付金を含んでいたのだが、追加寄付を選択した方が過半数で１６９万５９３４円もの寄付金が集まる結果となった。２０２２年7月の劇場公開では6劇場で１０００人程度の動員数だったことからすると、たった1度の上映にもかかわらず想定以上の結果となった。その後、呼びかけに応えてくれた劇場が再上映等を行ってくれ、その数26劇場となった（２０２4年1月6日時点）。自主上映を開催したいという要望も多く、戦争勃発後だけで全国で１００以上の上映会が開催されている。少なくない会場でただ映画を上映するだけではなく、寄付金を募ったり停戦を求める署名活動に協力を呼びかけたりと、追加の行動を起こしてくれている。

今回の上映会では、ガザ支援につながるようにと、募金、停戦を求める署名、パレスチナ産オリーブオイル購入のご案内、を実施しました
（下川りくらしネット）

まずは知ることから。高校生主催の上映会を開催させていただきました。準備段階から初めは難しいと感じたメンバーでしたが、準備を進める中で互いに学び、自分たちの想いを伝えたいという気運が高まってきました。当日は、高齢者から中学生まで多くの世代の方が集まってくださり、それぞれに考え、同じ時間を共有することができました。映画を観ることで、これから飛び込んでくるニュースが全く違うものに見えてくると実感しています。まずは知ること、知ろうとすることから始めたいと思います。なお18歳以上の参加者からいただいた参加費の半額1万6000円と募金箱に入れていただいた1万6200円はパレスチナ子どものキャンペーンへ送金させていただきます
（福岡県立ひびき高等学校）

映画の力とは何か？　それは人びとに感動を届け、人びとの行動を促すことだ。感動とは漢字で2文字、「感じて動く」と書く。ニュースで知らされる死者数を聞いても、伝わってこない人びとの痛みが映画ではストーリーで伝わってくる。それぞれに人生があり、夢があり、当たり前ながら家族がいる私たちと変わらぬ人間であるということが。この共感が行動を促し、地理的な遠さや国籍や宗教の違いを超え、同じ地球、同じ時代を生きる人間同士が戦争ではなく協力、協調、協同、共存する世界を創っていくと信じている。

パレスチナ／イスラエルを知るための参考資料

＊2016年の臼杵陽・鈴木啓之編『パレスチナを知るための60章』刊行以降に発表されたものを中心に整理しています。

◉書　籍

◆緊急出版・2023年10月～

岡真理『ガザとは何か――パレスチナを知るための緊急講義』大和書房、2023年

『現代思想』（特集「パレスチナから問う」）青土社、2024年2月号

高橋和夫『なぜガザは戦場になるのか――イスラエルとパレスチナ 攻防の裏側』ワニブックス、2024年

◆入門書

高橋和夫『なるほどそうだったのか!! パレスチナとイスラエル』幻冬舎、2010年

高橋真樹『ぼくの村は壁で囲まれた――パレスチナに生きる子どもたち』現代書館、2017年

奈良本英佑『14歳からのパレスチナ問題――これだけは知っておきたいパレスチナ・イスラエルの120年』合同出版、2017年

◆新書・文庫

臼杵陽『イスラエル』岩波新書、2009年
臼杵陽『世界史の中のパレスチナ問題』講談社現代新書、2013年
ガッサーン・カナファーニー『ハイファに戻って／太陽の男たち』（黒田寿郎・奴田原睦明訳）河出書房新社、2017年
澤畑剛『世界を動かすイスラエル』NHK出版、2020年
清田明宏『天井のない監獄――ガザの声を聴け！』集英社新書、2019年
高橋和夫『アラブとイスラエル――パレスチナ問題の構図』講談社現代新書、1992年
立山良司『イスラエルとパレスチナ』中央公論社、1989年
立山良司『中東和平の行方――続・イスラエルとパレスチナ』中央公論社、1995年

◆専門書

臼杵陽・鈴木啓之編著『パレスチナを知るための60章』明石書店、2016年
岡真理『ガザに地下鉄が走る日』みすず書房、2018年
川上泰徳『シャティーラの記憶――パレスチナ難民キャンプの70年』岩波書店、2019年
ジョー・サッコ『パレスチナ 特別増補版』（小野耕世訳）いそっぷ社、2023年
ダニエル・ソカッチ『イスラエル：人類史上最もやっかいな問題』（鬼澤忍訳）NHK出版、2023年
鶴見太郎『イスラエルの起源――ロシア・ユダヤ人が作った国』講談社、2020年
早尾貴紀『パレスチナ／イスラエル論』有志舎、2020年
南部真喜子『エルサレムのパレスチナ人社会――壁への落書きが映す日常』風響社、

２０２０年
サラ・ロイ『ホロコーストからガザへ——パレスチナの政治経済学』（岡真理、小田切拓、早尾貴紀訳）青土社（新装版）、２０２４年
渡辺丘『パレスチナを生きる』朝日新聞出版、２０１９年

◆学術書

今野泰三『ナショナリズムの空間——イスラエルにおける死者の記念と表象』春風社、２０２１年
エドワード・サイード『イスラム報道 増補版・新装版——ニュースはいかにつくられるか』（浅井信雄・佐藤成文・岡真理訳）みすず書房、２０１８年
鈴木啓之『蜂起〈インティファーダ〉——占領下のパレスチナ １９６７—１９９３』東京大学出版会、２０２０年
浜中新吾編『イスラエル・パレスチナ』ミネルヴァ書房、２０２０年
イラン・パペ『パレスチナの民族浄化——イスラエル建国の暴力』（田浪亜央江・早尾貴紀訳）法政大学出版局、２０１７年
イラン・パペ『イスラエルに関する十の神話』（脇浜義明訳）法政大学出版局、２０１８年
ラシード・ハーリディー『パレスチナ戦争——入植者植民地主義と抵抗の百年史』（鈴木啓之・山本健介・金城美幸訳）法政大学出版局、２０２３年
ベン・ホワイト『イスラエル内パレスチナ人——隔離・差別・民主主義』（脇浜義明訳）法政大学出版局、２０１８年
役重善洋『近代日本の植民地主義とジェンタイル・シオニズム——内村鑑三・矢内原忠雄・中田重治におけるナショナリズムと世界認識』インパクト出版会、２０１８年
山本健介『聖地の紛争とエルサレム問題の諸相

——イスラエルの占領・併合政策とパレスチナ人』晃洋書房、２０２０年

◉映　画

愛国の告白——沈黙を破る・Part2

［公開］２０２２年、［製作国］日本、［上映時間］１７０分、［監督］土井敏邦

イスラエル国内での圧力が強まるなか、「沈黙を破る」に参加し、加害経験を告白する元イスラエル将兵らの姿を追う

歌声にのった少年

［公開］２０１５年、［製作国］パレスチナ、［上映時間］98分、［監督］ハニ・アブ＝アサド、［出演］タウフィーク・バルホーム

ガザ地区出身の歌手、ムハンマド・アッサーフ（モハメド・アッサーフ）の半生を、ガザ地区の封鎖状態とともに描く

ガザ——素顔の日常

［公開］２０１９年、［製作国］アイルランド・カナダ・ドイツ合作、［上映時間］92分、［監督］ガリー・キーン、アンドリュー・マコーネル

ガザ地区に生きる人々の日常を、喫茶店や劇場、ビーチなどに求めたドキュメンタリー

ガザ攻撃 ２０１４年夏

［公開］２０１５年、［製作国］日本、［上映時間］１２４分、［監督］土井敏邦

２０１４年のイスラエル軍によるガザ地区への大規模な空爆と地上侵攻が、ガザの住民に何をもたらしたのかを取材したジャーナリストの報告

ガザ・サーフ・クラブ

［公開］２０１６年、［製作国］ドイツ、［上映時間］87分、［監督］フィリップ・グナート、ミッキー・ヤミネ

ガザの若者たちが自由と解放を求めてサーフィンに興じる様子を描く

ガザの美容室

［公開］2015年、［製作国］パレスチナ・フランス・カタール合作、［上映時間］84分、［監督］タルザン&アラブ・ナサール、［出演］ヒアム・アッバスほか

ガザ地区の小さな美容室に集まった女性たちが語る葛藤を、演劇のようなタッチで描く

ガーダ パレスチナの詩

［公開］2005年、［製作国］日本、［上映時間］106分、［監督］古居みずえ

ジャーナリスト・古居みずえが、ガザ出身のパレスチナ人女性ガーダの人生を取材したドキュメンタリー

自由と壁とヒップホップ

［公開］2008年、［製作国］パレスチナ・アメリカ、［上映時間］86分、［監督］ジャッキー・リーム・サッローム

パレスチナの若者たちのヒップホップによる非暴力の抵抗を取り上げる

沈黙を破る

［公開］2009年、［製作国］日本、［上映時間］130分、［監督］土井敏邦

占領地での兵役はイスラエル社会に何をもたらしているのか、元イスラエル将兵たちによって作られたNGO「沈黙を破る」を取材したドキュメンタリー

テルアビブ・オン・ファイア

［公開］2018年、［製作国］ルクセンブルク・フランス・イスラエル・ベルギー合作、［上映時間］97分、［監督］サメフ・ゾアビ、［出演］カイス・ナシェフ(サラーム)ほか

複雑なパレスチナ情勢を皮肉とユーモアに包んで描いたコメディドラマ

天国にちがいない

［公開］2019年、［製作国］フランス・カタール・ドイツ・カナダ・トルコ・パレスチナ合作、［上映時間］102分、［監督］エリア・スレイマン、［出演］エリア・スレイマン

故郷ナザレを飛び出し、パリやニューヨークで、エリア・スレイマンのブラックユーモアが炸裂する

ぼくたちは見た――ガザ・サムニ家の子どもたち

［公開］２０１１年、［製作国］日本、［上映時間］86分、［監督］古居みずえ

ジャーナリスト古居みずえが２００８年のイスラエル軍によるガザ地区への攻撃直後に現地に入り、親を失ったサムニ家の子どもたちを取材したドキュメンタリー

◉関連ＵＲＬ

日本国際ボランティアセンター（ＪＶＣ）（第2章・第19章・第22章・コラム9）
https://www.ngo-jvc.net/

パレスチナ子どものキャンペーン（ＣＣＰ）（第3章・コラム9）
https://ccp-ngo.jp/

赤十字国際委員会（ＩＣＲＣ）（第7章）
https://jp.icrc.org/

国連パレスチナ難民救済事業機関（ＵＮＲＷＡ）（第18章・コラム7・コラム9）
https://www.unrwa.org/

国連開発計画（ＵＮＤＰ）（第19章）
https://www.undp.org/

スンブラ（第20章）
https://www.sunbula.org/

国境なき医師団（ＭＳＦ）（第21章）
https://www.msf.or.jp/

特定非営利活動法人 国境なき子どもたち（ＫｎＫ）（第22章）

https://knk.or.jp/

特定非営利活動法人パルシック（第22章）

https://www.parcic.org/index.html

特定非営利活動法人ピースウィンズ・ジャパン（ＰＷＪ）（第22章）

https://peace-winds.org/

ガザ・モノローグ２０２３（コラム５）

https://gazamonologues-jp.com/

（作成：児玉恵美）

役重善洋（やくしげ・よしひろ）[コラム 8]

同志社大学人文科学研究所・嘱託研究員。敬愛大学経済学部・非常勤講師。特定非営利活動法人ピースデポ・研究員。政治思想研究。キリスト教史。著書に『近代日本の植民地主義とジェンタイル・シオニズム――内村鑑三・矢内原忠雄・中田重治におけるナショナリズムと世界認識』（インパクト出版会、2018 年）など。

関根健次（せきね・けんじ）[コラム 9]

ユナイテッドピープル株式会社代表取締役、一般社団法人国際平和映像祭代表理事。ベロイト大学経済学部卒。大学の卒業旅行で偶然訪れたガザ地区で世界の現実を知り、後に平和実現が人生のミッションとなる。映画を通じて世界の課題解決を志し、映画の配給・制作と、誰でも社会課題・SDGs テーマの映画上映会を開催できる「cinemo（シネモ）」を運営。

並木麻衣（なみき・まい）［第 22 章］

東京外国語大学でアラビア語・平和構築を専攻、2006 ～ 2007 年にビールゼイト大学とヘブライ大学に留学。アラビア語・ヘブライ語に加え双方の視点から情勢を学びつつ、人々の切実な思いに触れる。2013 ～ 2024 年には日本国際ボランティアセンターにてパレスチナ事業や広報を担当、一時期エルサレムに駐在。2024 年春から一般企業に所属、NGO/NPO 支援に携わる。

大久保武（おおくぼ・たけし）［第 23 章］

福岡市出身。1982 年外務省入省後、アラビストとして、リビア、イスラエル、シリア、エジプト、サウジアラビア、パレスチナ、レバノンの各大使館に在勤、その間、湾岸戦争、中東和平プロセスの進展、第二次インティファーダ（パレスチナ民衆蜂起）、エジプト革命（アラブの春）等激動する中東情勢を経験。2015 年からパレスチナ関係担当大使兼パレスチナ暫定自治政府日本国政府代表事務所長、2019 年から駐レバノン大使。2022 年に外務省退職。

イヤース・サリーム（Iyas Salim）［第 24 章］

ガザ地区ハーン・ユーニス出身。カナダのビクトリア大学で学士号取得の後に韓国、台湾、日本で英語を教える。JICA での勤務を経て、ガザ・イスラーム大学で修士号、同志社大学で博士号を取得。同志社大学ではヒューマン・ディグニティ研究センターの設立に携わった。現在、カールトン大学（カナダ）兼任教授。

新田朝子（にった・あさこ）［コラム 7］

国連パレスチナ難民救済事業機関（UNRWA）エルサレム本部 渉外・広報局に広報スペシャリストとして勤務（2022 年～）。元アナウンサーで､NHK や民放放送局（福島県）で勤務したのち、東京を拠点にホリプロに所属し、フリーで活動。2020 年 7 月よりエルサレム在住。イスラエル国立ヘブライ大学大学院にて、NPO マネジメントやマーケティングを専攻し、2022 年に修士課程を修了した。

石黒朝香（いしぐろ・あさか）［コラム 7］

国連パレスチナ難民救済事業機関（UNRWA）渉外・コミュニケーション局日本ドナーアドバイザー。愛知県出身。ジョージ・メイソン大学紛争分析解決学修士課程修了。国連開発計画、対パレスチナ日本政府代表事務所等で開発・人道支援業務を歴任。

清田明宏（せいた・あきひろ）［第 18 章］

国連パレスチナ難民救済事業機関（UNRWA）保健局長。ガザ、ヨルダン川西岸（東エルサレム含む）、ヨルダン、レバノン、シリアにある 140 の UNRWA クリニックを管轄、600 万人のパレスチナ難民に医療サービス提供の責任者。高知大学医学部卒業、ハーバード大学公衆衛生大学院武見国際保健リサーチフェロー。大学生時代にベトナム・カンボジア内紛で生じた「ボートピープル」を見て、国際保健の仕事を目指した。前職は WHO（世界保健機関）東地中海地域事務局で結核・エイズ・マラリアの統括者。

角幸康（すみ・ゆきやす）［第 18 章］

国連パレスチナ難民救済事業機関（UNRWA）エルサレム本部 渉外・広報局に上級渉外顧問として勤務。1999 年マサチューセッツ工科大学にて修士課程を修了し、その後一貫して、国連機関、アジア開発銀行、国際協力機構等の国際開発の分野で活躍。パレスチナ関係の問題には、2020 年から携わる。

大澤みずほ（おおさわ・みずほ）［第 19 章］

日本国際ボランティアセンター（JVC）海外事業グループエルサレム事務所現地調整員。看護師として日本国内で救命救急医療に従事。青年海外協力隊としてパラグアイで活動した後、より包括的な支援に関わりたいと考え、2018 年夏に JVC に入職して以来、パレスチナ事業に関わっている。

山田しらべ（やまだ・しらべ）［第 20 章］

パレスチナのフェアトレード団体スンブラ・事務局長 (Executive Director, Sunbula)。1990 年代より米国カリフォルニア州及びパレスチナ現地の NPO セクターで勤務。共編著に『Seventeen Embroidery Techniques from Palestine: An Instruction Manual』(Sunbula, 2019 年)。コロンビア大学院国際関係修士号取得。

白根麻衣子（しらね・まいこ）［第 21 章］

国境なき医師団（MSF）アドミニストレーター（財務・人事担当）。大手都銀、インターナショナルスクール勤務を経て、2016 年に MSF 日本事務局に入職。翌年、海外派遣スタッフに転向し、以降、ウクライナやアフガニスタン、パレスチナでの活動に参加。京都女子大学卒業、立教大学大学院経営学修士、英ウォーリック大学大学院教育学修士。

保井啓志（やすい・ひろし）［第 16 章］

人間文化研究機構人間文化研究創発センター研究員・同志社大学研究開発推進機構（都市共生研究センター）。専門はイスラエル研究、ジェンダー・セクシュアリティ研究、批判的動物研究。論文に、「シオニズムにおける動物性と動物の形象――近代化とショアーをめぐる議論を事例に」（『日本中東学会年報』38(1)、61-93、2022年）、「Vegan nationalism?: the Israeli animal rights movement in times of counter-terrorism.」（*Settler Colonial Studies* 14(1)、3-23、2024 年）がある。

今野泰三（いまの・たいぞう）［第 17 章］

中京大学教養教育研究院・教授。中東地域研究・平和学。著書に『ナショナリズムの空間――イスラエルにおける死者の記念と表象』（春風社、2021 年)、共編著に『教養としてのジェンダーと平和Ⅱ』（法律文化社、2022 年)、『オスロ合意から 20 年――パレスチナ／イスラエルの変容と課題』（NIHU イスラーム地域研究・東京大学拠点、2015 年)。

飛田麻也香（ひだ・まやか）［コラム 4］

広島商船高等専門学校・助教。主な著作に「イスラエル――多様性の国の教育」（大塚豊監修『アジア教育情報シリーズ 3 巻　南・中央・西アジア編』一藝社、2021 年)、「イスラエル・パレスチナ歴史教科書対話プロジェクトの特質――展開過程と諸アクターの相互関係」（『教育学研究ジャーナル』第 26 号、2021 年)。

渡辺真帆（わたなべ・まほ）［コラム 5］

東京外国語大学アラビア語専攻卒。ビールゼイト大学（ヨルダン川西岸）留学。通訳・翻訳者、ドラマトゥルクとして、演劇を中心にパレスチナの芸術文化の紹介や作品制作に携わる。翻訳戯曲にカナファーニー『帽子と預言者』、ガンナーム『朝のライラック』（小田島雄志・翻訳戯曲賞)、ヴァイツマン『占領の囚人たち』等。日本国際ボランティアセンター（JVC）パレスチナ駐在員（2024 年 5 月)。

佐藤まな（さとう・まな）［コラム 6、第 24 章］

英日翻訳者。京都大学大学院人間・環境学研究科修士課程修了。パレスチナ人を中心とした難民・移民による英語文学に関心がある。論文（佐藤愛名義）に「在米ディアスポラ詩人スヘイル・ハンマードにおける『パレスチナ』――記憶の継承、ブラック・アメリカ、そしてパレスチナ人になること」（修士論文、2018 年)、「未来のパレスチナ――在米ディアスポラ詩人スヘイル・ハンマードにおける ‘home’ と ‘people’」（『日本中東学会年報』第 3412 号、2018 年)。翻訳作品に映画「リトル・パレスティナ」日本語字幕など。

南部真喜子（なんぶ・まきこ）[第 9 章]

東京外国語大学特別研究員。中東地域研究。著書に『エルサレムのパレスチナ人社会――壁への落書きが映す日常』（風響社、2020 年）、共著に『パレスチナを知るための 60 章』（明石書店、2016 年）。

屋山久美子（ややま・くみこ）[第 10 章]

ヘブライ大学人文学部講師。ヘブライ大学音楽学科博士課程修了（民族音楽学、ユダヤ音楽、アラブ音楽専攻）。研究論文に「エルサレムのアレッポ系ユダヤ教徒の音楽伝統（ヘブライ語）」（ヘブライ大学 PhD 論文、2004 年）、「エルサレム出身ミズラヒームの宗教的生活に根ざす旋法「マカーム」」（『ユダヤ・イスラエル研究』第 22 号、40-50 頁）など。イスラエル政治・社会・文化動向に関わる翻訳、コーディネートなどに携わる。

雨雲（ペンネーム）[第 11 章]

1948 年のアラブ人。

福神遥（ふくがみ・はるか）[第 12 章]

2017 年より国境なき子どもたち・パレスチナ事務所現地代表。2024 年現在は、パレスチナのヨルダン渓谷における若者の社会参画と、子ども向け活動の事業に従事。共著に『わたしは 13 歳、シリア難民。――故郷が戦場になった子どもたち』（合同出版、2018 年）。

児玉恵美（こだま・えみ）※編者 [第 14 章]

編著者紹介を参照。

金城美幸（きんじょう・みゆき）[第 15 章]

立命館大学生存学研究所客員研究員。パレスチナ研究。主な論文に「パレスチナとの交差を見つけ出すために：交差的フェミニズムと連帯の再検討」（在日本韓国 YMCA 編『交差するパレスチナ――新たな連帯のために』新教出版社、2023 年）、共訳書にラシード・ハーリディー『パレスチナ戦争――入植者植民地主義と抵抗の百年史』（法政大学出版局、2023 年）。

ハディ・ハーニ（Hani Abdelhadi）［第 6 章］

明治大学商学部特任講師。東京ジャーミイ文書館理事。博士（政策・メディア）。論文に「イスラーム法からみるパレスチナ問題」（イスラム世界 93、2020 年）、「初期パレスチナ指導層における「民族自決」概念の内在化（1918-1922）」（日本中東学会年報 36-1、2020 年）など。

島本奈央（しまもと・なお）［第 7 章］

大阪大学大学院国際公共政策研究科博士後期課程在籍。専門は国際法学。主な論文に「マイノリティの集団的権利――マイノリティから自決権行使主体への接近可能性」（平和研究第 60 号、2023 年）。2019 年 9 月～ 2020 年 2 月ヘブライ大学ハリー・S・トルーマン平和研究所訪問研究員。同期間、Al-Quds Community Action Center にてインターンシップを行う。

鶴見太郎（つるみ・たろう）［第 8 章］

東京大学大学院総合文化研究科地域文化研究専攻・准教授。ロシア・ユダヤ史、シオニズム史。著書に『ロシア・シオニズムの想像力』（東京大学出版会、2012 年）、『イスラエルの起源』（講談社、2020 年）、共編著に *From Europe's East to the Middle East*（ペンシルベニア大学出版局、2022 年）など。

早川英明（はやかわ・ひであき）［コラム 1］

東京理科大学経営学部国際デザイン経営学科・助教。中東地域研究、現代アラブ思想史。論文に “What Does Antisectarianism Oppose?: Lebanese Communists' Debates on Sectarianism, 1975–1981,” *British Journal of Middle Eastern Studies*, 2023 など。

宇田川彩（うだがわ・あや）［コラム 2、第 13 章］

東京理科大学教養教育研究院・講師。文化人類学、ユダヤ研究。著書に『それでもなおユダヤ人であること――ブエノスアイレスに生きる〈記憶の民〉』（世界思想社、2020 年）、『アルゼンチンのユダヤ人――食から見た暮らしと文化』（風響社、2015 年）。

澤口右樹（さわぐち・ゆうき）［コラム 3］

一橋大学大学院社会学研究科・特任研究員（学振 PD）。イスラエル研究。著書に「現代イスラエルにおける軍隊と女性――女性の軍隊経験の語りから」（『日本中東学会年報』35（2）、2020 年）、共著に『パレスチナを知るための 60 章』（明石書店、2016 年）。

［執筆者紹介］（執筆順）

鈴木啓之（すずき・ひろゆき）※編者［序章、第1章］

編著者紹介を参照。

藤屋リカ（ふじや・りか）［第2章］

慶應義塾大学看護医療学部／大学院健康マネジメント研究科准教授。元日本国際ボランティアセンター（JVC）パレスチナ事業担当。主な著作に「生と性の間で——保健師としてのパレスチナ人女性への聞き取りから」（長沢栄治監修・鳥山純子編著『フィールド経験からの語り』明石書店、2021年）、「日本の医療支援——パレスチナに根づいた支援」「変遷する障害者福祉——誰も置き去りにしない社会に向けて」（臼杵陽・鈴木啓之編著『パレスチナを知るための60章』明石書店、2016年）。

手島正之（てしま・まさゆき）［第3章］

（特活）パレスチナ子どものキャンペーン・エルサレム事務所代表。国連難民高等弁務官事務所（UNHCR）・コソボ事務所にて難民保護政策、国連パレスチナ難民救済事業機関（UNRWA）・レバノン事務所にてモニタリング・評価担当を経て、2014年8月から現職。

吉田美紀（よしだ・みき）［第4章］

UNRWA（国連パレスチナ難民救済事業機関）ガザ事務所 戦略立案チームリーダー。米国カリフォルニア大学ロサンゼルス校（UCLA）卒業後、セネガルで青年海外協力隊の経験を経て、（特活）日本リザルツでハイチ地震、東日本大震災、フィリピン洪水、2014年ガザ紛争後の支援に関わる。2016年よりUNRWAガザ事務所に勤務。2023年10月以降はガザ緊急アピール作成と資金調達、食糧、シェルター、水と衛生、保健などの緊急支援のコーディネーションを行う。

山本健介（やまもと・けんすけ）［第5章］

静岡県立大学国際関係学部・講師。中東地域研究。著書に『聖地の紛争とエルサレム問題の諸相——イスラエルの占領・併合政策とパレスチナ人』（晃洋書房、2020年）、共訳書にラシード・ハーリディー『パレスチナ戦争——入植者植民地主義と抵抗の百年史』（法政大学出版局、2023年）。

［編著者紹介］

鈴木啓之（すずき・ひろゆき）

東京大学中東地域研究センター・特任准教授。中東地域研究。著書に『蜂起〈インティファーダ〉――占領下のパレスチナ 1967–1993』（東京大学出版会、2020 年）、共編著に『パレスチナを知るための 60 章』（明石書店、2016 年）、共訳書にラシード・ハーリディー『パレスチナ戦争――入植者植民地主義と抵抗の百年史』（法政大学出版局、2023 年）。

児玉恵美（こだま・えみ）

東京外国語大学総合国際学研究科博士後期課程。専門はレバノン地域研究、難民研究。レバノン内戦（1975-1990）をめぐる家族の記憶を、故郷観、祖先観に着目して研究している。著作に「レバノンのパレスチナ墓地における記憶継承――マージド・フサイン・アティーヤの記憶から」（『日本中東学会年報』37（1)、2021 年）がある。

エリア・スタディーズ206［別冊］

パレスチナ／イスラエルの〈いま〉を知るための24章

二〇二四年五月一五日　初版第一刷発行

編著者　――鈴木啓之・児玉恵美

発行者　――大江道雅

発行所　――株式会社 明石書店

〒一〇一‐〇〇二一　東京都千代田区外神田六‐九‐五
電　話　〇三‐五八一八‐一一七一
FAX　〇三‐五八一八‐一一七四
振　替　〇〇一〇〇‐七‐二四五〇五
https://www.akashi.co.jp

装幀　明石書店デザイン室

印刷・製本　モリモト印刷株式会社

（定価はカバーに表示してあります）

ISBN 978-4-7503-5760-7

エリア・スタディーズ

1 現代アメリカ社会を知るための60章
明石紀雄、川島浩平 編著

2 イタリアを知るための62章【第2版】
村上義和 編著

3 イギリスを旅する35章
辻野功 編著

4 モンゴルを知るための65章【第2版】
金岡秀郎 著

5 パリ・フランスを知るための44章
梅本洋一、大里俊晴、木下長宏 編著

6 現代韓国を知るための61章【第3版】
石坂浩一、福島みのり 編著

7 オーストラリアを知るための58章【第3版】
越智道雄 著

8 現代中国を知るための54章【第7版】
藤野彰 編著

9 ネパールを知るための60章
日本ネパール協会 編

10 アメリカの歴史を知るための65章【第4版】
富田虎男、鵜月裕典、佐藤円 編著

11 現代フィリピンを知るための61章【第2版】
大野拓司、寺田勇文 編著

12 ポルトガルを知るための55章【第2版】
村上義和、池俊介 編著

13 北欧を知るための43章
武田龍夫 著

14 ブラジルを知るための56章【第2版】
アンジェロ・イシ 著

15 ドイツを知るための60章
早川東三、工藤幹巳 編著

16 ポーランドを知るための60章
渡辺克義 編著

17 シンガポールを知るための65章【第5版】
田村慶子 編著

18 現代ドイツを知るための67章【第3版】
浜本隆志、髙橋憲 編著

19 ウィーン・オーストリアを知るための57章【第2版】
広瀬佳一、今井顕 編著

20 ハンガリーを知るための60章【第2版】 ドナウの宝石
羽場久美子 編著

21 現代ロシアを知るための60章【第2版】
下斗米伸夫、島田博 編著

22 21世紀アメリカ社会を知るための67章
明石紀雄 監修 赤尾千波、大類久恵、小塩和人、
落合明子、川島浩平、高野泰 編

23 スペインを知るための60章
野々山真輝帆 著

24 キューバを知るための52章
後藤政子、樋口聡 編著

25 カナダを知るための60章
綾部恒雄、飯野正子 編著

26 中央アジアを知るための60章【第2版】
宇山智彦 編著

27 チェコとスロヴァキアを知るための56章【第2版】
薩摩秀登 編著

28 現代ドイツの社会・文化を知るための48章
田村光彰、村上和光、岩淵正明 編著

29 インドを知るための50章
重松伸司、三田昌彦 編著

30 タイを知るための72章【第2版】
綾部真雄 編著

31 パキスタンを知るための60章
広瀬崇子、山根聡、小田尚也 編著

32 バングラデシュを知るための66章【第3版】
大橋正明、村山真弓、日下部尚徳、安達淳哉 編著

33 イギリスを知るための65章【第2版】
近藤久雄、細川祐子、阿部美春 編著

34 現代台湾を知るための60章【第2版】
亜洲奈みづほ 著

35 ペルーを知るための66章【第2版】
細谷広美 編著

36 マラウィを知るための45章【第2版】
栗田和明 著

37 コスタリカを知るための60章【第2版】
国本伊代 編著

38 チベットを知るための50章
石濱裕美子 編著

39 現代ベトナムを知るための63章【第3版】
岩井美佐紀 編著

40 インドネシアを知るための50章
村井吉敬、佐伯奈津子 編著

41 エルサルバドル、ホンジュラス、ニカラグアを知るための45章
田中高 編著

エリア・スタディーズ

42 パナマを知るための70章【第2版】
国本伊代 編著

43 イランを知るための65章
岡田恵美子、北原圭一、鈴木珠里 編著

44 アイルランドを知るための70章【第3版】
海老島均、山下理恵子 編著

45 メキシコを知るための60章
吉田栄人 編著

46 中国の暮らしと文化を知るための40章
東洋文化研究会 編

47 現代ブータンを知るための60章【第2版】
平山修一 著

48 バルカンを知るための66章【第2版】
柴宜弘 編著

49 現代イタリアを知るための44章
村上義和 編著

50 アルゼンチンを知るための54章
アルベルト松本 著

51 ミクロネシアを知るための60章【第2版】
印東道子 編著

52 アメリカのヒスパニック＝ラティーノ社会を知るための55章
大泉光一、牛島万 編著

53 北朝鮮を知るための55章【第2版】
石坂浩一 編著

54 ボリビアを知るための73章【第2版】
真鍋周三 編著

55 コーカサスを知るための60章
北川誠一、前田弘毅、廣瀬陽子、吉村貴之 編著

56 カンボジアを知るための60章【第3版】
上田広美、岡田知子、福富友子 編著

57 エクアドルを知るための60章【第2版】
新木秀和 編著

58 タンザニアを知るための60章【第2版】
栗田和明、根本利通 編著

59 リビアを知るための60章【第2版】
塩尻和子 編著

60 東ティモールを知るための50章
山田満 編著

61 グアテマラを知るための67章【第2版】
桜井三枝子 編著

62 オランダを知るための60章
長坂寿久 著

63 モロッコを知るための65章
私市正年、佐藤健太郎 編著

64 サウジアラビアを知るための63章【第2版】
中村覚 編著

65 韓国の歴史を知るための66章
金両基 編著

66 ルーマニアを知るための60章
六鹿茂夫 編著

67 現代インドを知るための60章
広瀬崇子、近藤正規、井上恭子、南埜猛 編著

68 エチオピアを知るための50章
岡倉登志 編著

69 フィンランドを知るための44章
百瀬宏、石野裕子 編著

70 ニュージーランドを知るための63章
青柳まちこ 編著

71 ベルギーを知るための52章
小川秀樹 編著

72 ケベックを知るための56章【第2版】
日本ケベック学会 編

73 アルジェリアを知るための62章
私市正年 編著

74 アルメニアを知るための65章
中島偉晴、メラニア・バグダサリヤン 編著

75 スウェーデンを知るための60章
村井誠人 編著

76 デンマークを知るための70章【第2版】
村井誠人 編著

77 最新ドイツ事情を知るための50章
浜本隆志、柳原初樹 著

78 セネガルとカーボベルデを知るための60章
小川了 編著

79 南アフリカを知るための60章
峯陽一 編著

80 エルサルバドルを知るための66章【第2版】
細野昭雄、田中高 編著

81 チュニジアを知るための60章
鷹木恵子 編著

82 南太平洋を知るための58章 メラネシア ポリネシア
吉岡政德、石森大知 編著

83 現代カナダを知るための60章【第2版】
飯野正子、竹中豊 総監修 日本カナダ学会 編

エリア・スタディーズ

126 **カタルーニャを知るための50章**
立石博高、奥野良知 編著

127 **ホンジュラスを知るための60章**
桜井三枝子、中原篤史 編著

128 **スイスを知るための60章**
スイス文学研究会 編

129 **東南アジアを知るための50章**
今井昭夫 編集代表　東京外国語大学東南アジア課程 編

130 **メソアメリカを知るための58章**
井上幸孝 編著

131 **マドリードとカスティーリャを知るための60章**
川成洋、下山静香 編著

132 **ノルウェーを知るための60章**
大島美穂、岡本健志 編著

133 **現代モンゴルを知るための50章**
小長谷有紀、前川愛 編著

134 **カザフスタンを知るための60章**
宇山智彦、藤本透子 編著

135 **内モンゴルを知るための60章**
ボルジギン・ブレンサイン 編著　赤坂恒明 編集協力

136 **スコットランドを知るための65章**
木村正俊 編著

137 **セルビアを知るための60章**
柴宜弘、山崎信一 編著

138 **マリを知るための58章**
竹沢尚一郎 編著

139 **ASEANを知るための50章**
黒柳米司、金子芳樹、吉野文雄 編著

140 **アイスランド・グリーンランド・北極を知るための65章**
小澤実、中丸禎子、高橋美野梨 編著

141 **ナミビアを知るための53章**
水野一晴、永原陽子 編著

142 **香港を知るための60章**
吉川雅之、倉田徹 編著

143 **タスマニアを旅する60章**
宮本忠 著

144 **パレスチナを知るための60章**
臼杵陽、鈴木啓之 編著

145 **ラトヴィアを知るための47章**
志摩園子 編著

146 **ニカラグアを知るための55章**
田中高 編著

147 **台湾を知るための72章**【第2版】
赤松美和子、若松大祐 編著

148 **テュルクを知るための61章**
小松久男 編著

149 **アメリカ先住民を知るための62章**
阿部珠理 編著

150 **イギリスの歴史を知るための50章**
川成洋 編著

151 **ドイツの歴史を知るための50章**
森井裕一 編著

152 **ロシアの歴史を知るための50章**
下斗米伸夫 編著

153 **スペインの歴史を知るための50章**
立石博高、内村俊太 編著

154 **フィリピンを知るための64章**
大野拓司、鈴木伸隆、日下渉 編著

155 **バルト海を旅する40章**　7つの島の物語
小柏葉子 著

156 **カナダの歴史を知るための50章**
細川道久 編著

157 **カリブ海世界を知るための70章**
国本伊代 編著

158 **ベラルーシを知るための50章**
服部倫卓、越野剛 編著

159 **スロヴェニアを知るための60章**
柴宜弘、アンドレイ・ベケシュ、山崎信一 編著

160 **北京を知るための52章**
櫻井澄夫、人見豊、森田憲司 編著

161 **イタリアの歴史を知るための50章**
高橋進、村上義和 編著

162 **ケルトを知るための65章**
木村正俊 編著

163 **オマーンを知るための55章**
松尾昌樹 編著

164 **ウズベキスタンを知るための60章**
帯谷知可 編著

165 **アゼルバイジャンを知るための67章**
廣瀬陽子 編著

166 **済州島を知るための55章**
梁聖宗、金良淑、伊地知紀子 編著

167 **イギリス文学を旅する60章**
石原孝哉、市川仁 編著

エリア・スタディーズ

168 フランス文学を旅する60章
野崎歓 編著

169 ウクライナを知るための65章
服部倫卓、原田義也 編著

170 クルド人を知るための55章
山口昭彦 編著

171 ルクセンブルクを知るための50章
田原憲和、木戸紗織 編著

172 地中海を旅する62章 歴史と文化の都市探訪
松原康介 編著

173 ボスニア・ヘルツェゴヴィナを知るための60章
柴宜弘、山崎信一 編著

174 チリを知るための60章
細野昭雄、工藤章、桑山幹夫 編著

175 ウェールズを知るための60章
吉賀憲夫 編著

176 太平洋諸島の歴史を知るための60章 日本とのかかわり
石森大知、丹羽典生 編著

177 リトアニアを知るための60章
櫻井映子 編著

178 現代ネパールを知るための60章
公益社団法人 日本ネパール協会 編

179 フランスの歴史を知るための50章
中野隆生、加藤玄 編著

180 ザンビアを知るための55章
島田周平、大山修一 編著

181 ポーランドの歴史を知るための55章
渡辺克義 編著

182 韓国文学を旅する60章
波田野節子、斎藤真理子、きむ ふな 編著

183 インドを旅する55章
宮本久義、小西公大 編著

184 現代アメリカ社会を知るための63章【2020年代】
明石紀雄 監修 大類久恵、落合明子、赤尾千波 編著

185 アフガニスタンを知るための70章
前田耕作、山内和也 編著

186 モルディブを知るための35章
荒井悦代、今泉慎也 編著

187 ブラジルの歴史を知るための50章
伊藤秋仁、岸和田仁 編著

188 現代ホンジュラスを知るための55章
中原篤史 編著

189 ウルグアイを知るための60章
山口恵美子 編著

190 ベルギーの歴史を知るための50章
松尾秀哉 編著

191 食文化からイギリスを知るための55章
石原孝哉、市川仁、宇野毅 編著

192 東南アジアのイスラームを知るための64章
久志本裕子、野中葉 編著

193 宗教からアメリカ社会を知るための48章
上坂昇 著

194 ベルリンを知るための52章
浜本隆志、希代真理子 著

195 NATO（北大西洋条約機構）を知るための71章
広瀬佳一 編著

196 華僑・華人を知るための52章
山下清海 著

197 カリブ海の旧イギリス領を知るための60章
川分圭子、堀内真由美 編著

198 ニュージーランドを旅する46章
宮本忠、宮本由紀子 著

199 マレーシアを知るための58章
鳥居高 編著

200 ラダックを知るための60章
煎本孝、山田孝子 著

201 スロヴァキアを知るための64章
長與進、神原ゆうこ 編著

202 チェコを知るための60章
薩摩秀登、阿部賢一 編著

203 ロシア極東・シベリアを知るための70章
服部倫卓、吉田睦 編著

204 スペインの歴史都市を旅する48章
立石博高 監修・著 小倉真理子 著

205 ハプスブルク家の歴史を知るための60章
川成洋 編著

206 パレスチナ／イスラエルの〈いま〉を知るための24章
鈴木啓之、児玉恵美 編著

――以下続刊

◎各巻2000円（一部1800円）

〈価格は本体価格です〉